EASY TEST
보카 콕 3

① 말뭉치로 외우세요.

어휘는 의미 단락의 덩어리로 외우는 것이 좋습니다. 예를 들어 '피자를 먹다', '약을 먹다', '겁을 먹다'는 우리말로 모두 '먹다'이지만 영어에서는 'eat (have) pizza', 'take medicine', 'get scared'와 같이 각각 서로 다른 동사를 사용합니다. 그런데 eat만 따로, take만 따로 외운다면 '피자를 먹는다'는 표현을 할 때 어떤 동사가 적절한지 알 수 없습니다. 이처럼 말뭉치로 외우면 단어를 하나씩 외우는 것보다 훨씬 잘 외워지는 것은 물론이고, 단어의 사용법까지 함께 익힐 수 있답니다.

② 단어를 확장시켜 외우세요.

단어 하나를 외우면 최소 2~3개는 거저 외워진다는 것을 알고 있나요? 예를 들면 'bake(빵을 굽다)'라는 단어에 r을 붙이면 baker(제빵사), 또 거기에 y를 붙이면 bakery(빵집)가 됩니다. 이런 식으로 단어를 외울 때 그 단어의 파생어를 떠올리며 확장시켜 나가면 한꺼번에 여러 단어를 외울 수 있답니다.

③ 어원과 함께 외우세요.

우리말에도 한자, 일본어, 영어 등 다양한 언어에서 영향을 받은 단어들이 많듯이, 영어에도 오랜 세월을 거쳐 오는 동안 많은 언어들의 영향을 받아서 그 흔적이 남아 있습니다. 예를 들어, 접두어 en- (em-)은 make(~하게 하다, ~하게 만들다)의 의미를 갖습니다. en + joy = 즐겁게 만들다 → 즐기다, en + courage = 용기를 갖게 하다 → 용기를 북돋다, 격려하다 등을 살펴보면 쉽게 이해할 수 있지요. 단어를 외울 때 그 어원을 눈여겨보면 생소했던 단어도 친숙하게 다가온답니다.

단어가 가진 핵심적인 뜻을 기억하세요.

한 단어가 여러 가지 뜻을 가지고 있어 우리를 힘들게 할 때가 많은데, 그럴 때는
그 단어의 핵심적인 뜻을 떠올려 보세요. 예를 들면, create라는
단어에는 '창조하다', '만들다', '창출하다'등의 뜻이 있습니다.
하지만 자세히 들여다보면 '무언가를 만들어낸다'는 핵심적
인 뜻이 그 가운데에 있다는 것을 알 수 있습니다. 이렇듯 처
음 외울 때는 핵심적인 뜻만이라도 알고 가고, 다음에 그 단
어를 만나게 될 때 추가적인 뜻과 용법 등을 자세히 공부한다
면 그 단어는 온전히 여러분의 단어가 된답니다.

⑤ 오감을 동원하여 외우세요.

한 연구 조사에 따르면 눈으로 보고 쓰면서 외우는 것보다 소리로 듣고 스스로 말을 해
보거나 동작을 하면서 외울 때 뇌의 여러 부분이 자극을 받아 기억의 지속 시간이 길어
진다고 합니다. 여러분도 단어를 외울 때 큰 소리로 따라 읽어 보거나, 동
사를 외울 때 그 동작을 직접 해 보는 등 적극적으로 외워보세요. 단어
고지의 탈환이 눈앞에 보일 것입니다.

(꿈틀 홈페이지 www.ggumtl.co.kr에서 원어민의 음성으로 녹음된
MP3 파일을 다운 받거나 책 속의 QR코드를 활용하여 공부해 보세요!)

⑥ 나만의 단어장을 만드세요.

자신만의 손때 묻은 단어장을 만들어두면 단어장에 대한 애정도 생기고 그만큼 단어
공부에도 도움이 많이 됩니다. 잘 안 외워지는 단어는 자기만의 방식으로
표시를 해 보세요. 가령 형광펜이나 색연필 등으로 밑줄을 긋는다든
지 체크를 한다든지 말이죠. 한번 표시함으로써 머릿속에 깊이 각
인시키는 효과를 낼 수 있습니다. 또한 단어장에 추가로 예문을 적
어보는 것도 좋습니다. 이러한 메모들이 차곡차곡 쌓이면 그 무엇
과도 바꿀 수 없는 나만의 귀중한 단어장이 완성될 거예요.

학습 계획표 Study Plan

12주 계획표

▶ 중학교 필수 어휘를 12주 안에 차근차근 학습하고 싶은 학생에게 추천하는 계획표

	1일차	2일차	3일차	4일차	5일차	6~7일차
1주차	Day 01	Day 02	Day 03	Day 04	Day 05	Review, 복습
2주차	Day 06	Day 07	Day 08	Day 09	Day 10	Review, 복습
3주차	Day 11	Day 12	Day 13	Day 14	Day 15	Review, 복습
4주차	Day 16	Day 17	Day 18	Day 19	Day 20	Review, 복습
5주차	Day 21	Day 22	Day 23	Day 24	Day 25	Review, 복습
6주차	Day 26	Day 27	Day 28	Day 29	Day 30	Review, 복습
7주차	Day 31	Day 32	Day 33	Day 34	Day 35	Review, 복습
8주차	Day 36	Day 37	Day 38	Day 39	Day 40	Review, 복습
9주차	Day 41	Day 42	Day 43	Day 44	Day 45	Review, 복습
10주차	Day 46	Day 47	Day 48	Day 49	Day 50	Review, 복습
11주차	Day 51	Day 52	Day 53	Day 54	Day 55	Review, 복습
12주차	Day 56	Day 57	Day 58	Day 59	Day 60	Review, 복습

6주 계획표

▶ 중학교 필수 어휘를 6주 안에 빠르게 정리하고 싶은 학생에게 추천하는 계획표

	1일차	2일차	3일차	4일차	5일차	6~7일차
1주차	Day 01-02	Day 03-04	Day 05, Review	Day 06-07	Day 08-09	Day 10, Review
2주차	Day 11-12	Day 13-14	Day 15, Review	Day 16-17	Day 18-19	Day 20, Review
3주차	Day 21-22	Day 23-24	Day 25, Review	Day 26-27	Day 28-29	Day 30, Review
4주차	Day 31-32	Day 33-34	Day 35, Review	Day 36-37	Day 38-39	Day 40, Review
5주차	Day 41-42	Day 43-44	Day 45, Review	Day 46-47	Day 48-49	Day 50, Review
6주차	Day 51-52	Day 53-54	Day 55, Review	Day 56-57	Day 58-59	Day 60, Review

보카콕 학습 방법

STEP 1 만화와 삽화, 예문을 통해 표제어를 학습하고, MP3 파일을 들으면서 발음을 확인해 봅니다. Day 학습이 끝나면 Wrap-up Test를 통해 그날 배운 어휘를 점검하고, 암기한 어휘는 첫 번째 체크 박스에 표시 ☑□합니다.

STEP 2 5일 동안 학습한 분량의 어휘를 Review Test를 통해 반복해서 확인합니다. 완벽하게 암기한 어휘는 두 번째 체크박스에 표시 ☑☑하고, 아직 외우지 못한 어휘들을 복습합니다.

STEP 3 중학교 학생이라면 반드시 알아야 하는 내용이 담긴 Zoom In을 학습함으로써 어휘 실력을 한 단계 업그레이드합니다.

발음기호 Phonetic Symbols

❶ 자음

▶ 유성자음   발음할 때 목에서 떨림이 느껴지는 자음이에요.

구분	[b]	[d]	[m]	[n]	[r]
소리	ㅂ	ㄷ	ㅁ	ㄴ	ㄹ
구분	[l]	[z]	[ʒ]	[dʒ]	[ð]
소리	ㄹ	ㅈ	쥐	쮜	ㄷ
구분	[g]	[v]	[h]	[ŋ]	[j]
소리	ㄱ	ㅂ	ㅎ	(받침) ㅇ	이

▶ 무성자음   발음할 때 목에서 떨림이 느껴지지 않는 자음이에요.

구분	[p]	[f]	[θ]	[s]	[ʃ]
소리	ㅍ	ㅍ/ㅎ	쓰	ㅅ	쉬
구분	[k]	[t]	[tʃ]		
소리	ㅋ	ㅌ	취		

❷ 모음

구분	[a]	[e]	[i]	[o]	[u]
소리	ㅏ	ㅔ	ㅣ	ㅗ	ㅜ
구분	[æ]	[ʌ]	[ɔ]	[ə]	[ɛ]
소리	ㅐ	ㅓ	ㅗ/ㅏ	ㅓ	ㅔ

EASY TEST 보카콕 ❸

교재 개발에 도움을 주신 선생님들께 감사드립니다.

권익재 대구	김광수 수원	김명선 용인	김문성 부산
김용수 광주	김정곤 서울	김정욱 서울	김정현 시흥
류현규 서울	명가은 서울	박정호 서울	박창욱 부산
반정란 인천	방성모 대구	서동준 산본	송수아 보령
양주영 천안	유정인 대전	이광현 해남	이다솜 부천
이장령 창원	이정민 경기	이창녕 수원	이충기 화성
이헌승 서울	임민영 서울	임지혜 거제	장미연 경기
정도영 인천	정용균 전주	정윤슬 대구	최보은 서울

EASY TEST
보카콕 **3**

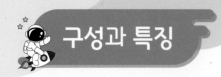

구성과 특징

007	weekend		
	[wíːkènd]	명 주말	
		We are going to Seoul this weekend.	
		우리는 이번 _____에 서울에 간다.	

008	reduce	
	[ridjúːs]	통 줄이다 (= lower, decrease); 낮추다
		His salary was reduced by 10%.
		그의 급여가 10% _____.
		✚ reduction 명 축소
		↔ increase 통 증가하다

009	include	
	[inklúːd]	통 포함하다 (= contain); 넣다 (= put in)
	in[in]+clude[shut]	The price includes related taxes.
	안에 넣고 닫다 → 포함하다	그 가격은 관련 세금을 _____ 있다.
		✚ inclusion 명 포함
		↔ exclude 통 제외하다

필수 중등 어휘 수록

- 중학교 3학년 교과서를 분석하여 빈도수 높고 꼭 알아야 하는 어휘 900개를 표제어로 선정
- 어휘별 체크박스 ☑□를 활용한 체계적인 학습 및 복습 가능
- 원어민의 음성으로 녹음된 표제어와 예문으로 정확한 발음 익히기

통 줄이다 (= lower, decrease); 낮추다

His salary was reduced by 10%.

그의 급여가 10% _____.

✚ reduction 명 축소
↔ increase 통 증가하다

통 포함하다 (= contain); 넣다 (= put in)

The price includes related taxes.

그 가격은 관련 세금을 _____ 있다.

✚ inclusion 명 포함
↔ exclude 통 제외하다

1,300개 이상의 어휘 학습

- 표제어의 유의어, 반의어, 숙어, 파생어 등을 수록하여 총 1,300개 이상의 어휘 학습 가능
- 실용적이고 다양한 주제의 예문을 통해 어휘의 쓰임새 쉽게 파악

재미있게 외워지는 암기 방식

- 표제어와 함께 제시되는 삽화와 사진 등 다양한 시각 자료로 학습 흥미 유발
- 연상 작용을 통한 효율적인 암기 방법 적용
- 표제어와 예문이 녹음된 듣기 파일 QR코드 지원

다양한 내신 대비 TEST

- Wrap-up Test와 Review Test를 통해 학습한 어휘 점검
- 내신 시험을 대비한 영영풀이, 유의어, 반의어 등 다양한 종류의 문제 수록
- 원어민이 들려주는 받아쓰기로 스스로 학습

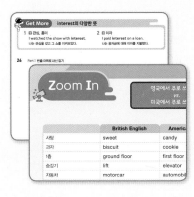

어휘 학습에 유용한 TIPS

- Get More와 Zoom In에 영어 어휘 학습에 유용한 다양한 내용 수록
- 함께 학습하면 어휘 실력뿐만 아니라 전반적인 영어 실력이 향상

나만의 미니 사전 INDEX

- 어휘 뜻과 수록된 페이지 표기
- 궁금한 어휘 바로 찾아 보기 가능
- 따로 뜯어서 나만의 미니 사전으로 활용 가능

★ 홈페이지에서 다양한 학습 자료를 무료로 다운받으실 수 있습니다.[www.ggumtl.co.kr]

① 5종의 추가 테스트지 제공 (원어민 받아쓰기 테스트지 3종 + 철자쓰기 테스트지 2종)
② 표제어와 예문이 녹음된 MP3 파일 제공
③ 표제어 리스트 제공

차례

일러두기   이 책에서 사용된 기호

명 명사 (사람, 사물 등 어떤 대상을 나타내는 단어)
동 동사 (주어의 동작이나 상태를 나타내는 단어)
형 형용사 (명사의 성질, 모양, 성격 등을 나타내는 단어)
대 대명사 (앞서 나온 명사의 중복 쓰임을 피하기 위해 대신해서 쓰는 단어)
부 부사 (동사, 형용사, 부사 등을 꾸며주는 단어)
전 전치사 (명사나 대명사 앞에 위치하여 시간, 장소, 이유, 방법 등을 나타내는 단어)
접 접속사 (단어와 단어, 구와 구, 문장과 문장 등을 연결해 주는 단어)
조 조동사 (다른 동사 앞에 쓰여서 그 동사에 어떤 특정한 의미를 보태 주는 단어)
✚ 동의어 및 주요 파생어   ↔ 반의어

Contents

PART
I

빈출 어휘로
내신 잡기

Day 01~30

넌 커서 뭐가 되고 싶니?

난 과학자가 될 거야.

와, 멋진데!

The disabled를 위한 electronic 장치를 만드는 게 나의 꿈이야.

◀◁ MP3 파일을 들으면서 단어를 따라 읽어보세요.

---

001 succeed
[səksíːd]

통 성공하다 (= prosper); 뒤를 잇다

He **succeeded** in persuading her.
그는 그녀를 설득하는 데 [   ].

➕ success 명 성공
↔ fail 통 실패하다

강세주의

002 electronic
[ilèktránik]

형 전자의, 전자 장비와 관련된

Use this **electronic** calculator to answer this question.
이 [   ] 계산기를 사용하여 문제를 푸시오.

➕ electronics 명 전자 공학
electric 형 전기의

---

003 disabled
[diséibld]

형 장애가 있는 (= impaired), 무능력해진

This company employs more than 100 **disabled** people.
이 회사는 100명이 넘는 [   ]인을 고용하고 있다.

➕ disability 명 장애
↔ capable 형 능숙한

---

004 source
[sɔ:rs]

명 근원, 출처
동 인용문의 출처를 명시하다

Samson's source of power was his hair.
Samson의 힘의 [____]은 그의 머리카락이었다.

---

005 avoid
[əvɔ́id]

동 피하다, 방지하다

He failed to avoid the accident.
그는 그 사고를 [____] 못했다.

➕ avoidable 형 피할 수 있는

---

006 difference
[dífərəns]

명 차이, 다름

They overcame their differences of opinion about the project.
그들은 프로젝트에 대한 의견 [____]를 극복했다.

➕ differ 동 다르다, 달리하다
different 형 다른
↔ similarity 명 동일함

---

007 weekend
[wí:kènd]

명 주말

We are going to Seoul this weekend.
우리는 이번 [____]에 서울에 간다.

---

008 reduce
[ridjú:s]

동 줄이다 (= lower, decrease); 낮추다

His salary was reduced by 10%.
그의 급여가 10% [____].

➕ reduction 명 축소
↔ increase 동 증가하다

---

009 include
[inklú:d]

in[in]+clude[shut]
안에 넣고 닫다 → 포함하다

동 포함하다 (= contain); 넣다 (= put in)

The price includes related taxes.
그 가격은 관련 세금을 [____] 있다.

➕ inclusion 명 포함
↔ exclude 동 제외하다

010 performance

[pərfɔ́ːrməns]

performance car
고성능 차

강세주의

명 성능; 성과; 공연

Ferrari is known for its great **performance**.
페라리는 뛰어난 ▨▨▨▨▨▨ 으로 유명하다.

➕ perform **동** 수행하다

---

011 responsible

[rispánsəbl]

형 책임이 있는, 원인이 되는

John is **responsible** for this failure.
John에게 이 실패에 대한 ▨▨▨▨▨▨.

➕ responsibility **명** 책임
↔ irresponsible **형** 책임이 없는

---

012 disagree

[dìsəgríː]

동 반대하다 (= object); 다르다 (= differ)

I **disagree** with everything they said.
나는 그들이 말한 어느 것에도 ▨▨▨▨▨▨.

➕ disagreement **명** 의견 차이, 불일치
↔ agree **동** 동의하다

---

013 be busy -ing

~ 하느라 바쁘다

He **is busy playing** computer games.
그는 컴퓨터 게임을 ▨▨▨▨▨▨.

---

014 run after

~의 뒤를 쫓다 (= pursue, chase)

Police **ran after** the criminal but failed to catch him.
경찰이 범인의 ▨▨▨▨▨▨ 지만 그를 잡는 데 실패했다.

---

015 make eye contact with

~와 눈을 마주치다

Make eye contact with the audience when making a speech.
연설을 할 때는 청중과 ▨▨▨▨▨▨.

Get More   succeed의 다양한 뜻

1 **동** 성공하다
succeed as a pianist
피아니스트로서 성공하다

2 **동** (자리 · 지위 등의) 뒤를 잇다
succeed to the throne
왕위를 계승하다

✐ ANSWERS p. 274

A 영어는 우리말로, 우리말은 영어로 쓰시오.

1	avoid	_____	6	~의 뒤를 쫓다	_____
2	source	_____	7	~와 눈을 마주치다	_____
3	reduce	_____	8	전자의	_____
4	be busy -ing	_____	9	주말	_____
5	difference	_____	10	포함하다, 넣다	_____

B 빈칸에 알맞은 단어를 [보기]에서 골라 쓰시오. (필요시 형태를 고칠 것)

보기	disabled	disagree	responsible	succeed	performance

11 My aunt spent her life helping the _____.
이모는 한 평생을 장애인들을 도우면서 보내셨다.

12 I feel _____ for what happened yesterday.
나는 어제 일어난 일에 대해 책임을 느낀다.

13 His _____ was second to none.
그의 공연은 최고였다.

14 I totally understand what you're saying, but I _____.
네 말은 전적으로 이해하지만, 동의하지는 않아.

15 You should study hard if you want to _____.
만약 네가 성공하고 싶다면 열심히 공부해야 한다.

C 설명하는 단어를 [보기]에서 골라 쓰시오.

보기	weekend	avoid	source	include	succeed

16 Saturday and Sunday _____
17 to take action in order to prevent something happening _____
18 to become a part of a large group _____
19 the person, place or thing that you get something from _____
20 to be the next person to have one's job or position _____

DAY 02

저는 그와 그의 형을 구분하는 게 항상 confuse됩니다.

그는 형보다 조금 더 키가 커요. 그래서 키로 구분이 가능하죠.

하지만 둘이 떨어져 있을 때는 누가 누구인지 정말 모르겠어요.

아, 어떻게 구분하느냐 그것이 문제로다 …

🔊 MP3 파일을 들으면서 단어를 따라 읽어보세요.

---

016 **bore**
[bɔːr]

통 지루하게 하다; 구멍을 내다

The long speech bored all of us.
긴 연설은 우리 모두를 ▨▨▨▨▨▨.

➕ boring 형 지루한
↔ excite 통 흥분하게 하다

---

017 **combine**
[kəmbáin]

통 결합시키다 (= put together)

They combined two companies to maximize profits.
그들은 이윤을 극대화하기 위해 두 회사를 ▨▨▨▨▨▨.

➕ combination 명 조합, 결합
↔ split 통 쪼개다, 분할하다

---

018 **anyone**
[éniwʌ̀n]

대 누구나, 아무나

Anyone can do this.
▨▨▨▨▨▨ 이것을 할 수 있다.

---

019 type
[taip]

뷔 유형, 타입 (= kind, category); 전형 (= model)
동 타이핑하다

This is a rare type of mushroom.
이것은 드문 　　　　의 버섯이다.

➕ typical 휑 전형적인

강세주의

020 annoy
[ənɔ́i]

동 짜증 나게 하다, 귀찮게 하다 (= irritate, disturb)

His children are so annoying.
그의 아이들은 정말 　　　　.

➕ annoying 휑 짜증 나는, 성가신
　 annoyance 휑 성가심; 불쾌감
↔ comfort 동 편안하게 하다

021 recycle
[rìːsáikl]

동 재활용하다 (= reuse, save)

We recycle all our newspapers and cans.
우리는 모든 신문과 캔을 　　　　.

↔ waste 동 낭비하다

recycle bins
재활용 통

022 phrase
[freiz]

명 구절
동 말로 표현하다

Choose your favorite phrase from this novel.
이 소설에서 가장 좋아하는 　　　　을 고르시오.

023 advertise
[ǽdvərtàiz]

ad[toward]+vert[turn]+ise
〜쪽으로 향하게 하다 → 광고하다

동 광고하다, 홍보하다

The actor advertised his new film.
그 배우는 자신의 신작 영화를 　　　　.

➕ advertisement 명 광고

024 pot
[pɑt]

명 항아리, 냄비

A little pot is soon hot.
작은 　　　　는 쉽게 뜨거워진다.
(속담 : 소인은 쉽게 화를 낸다.)

teapot
찻주전자

025 confuse
[kənfjúːz]

⑧ 혼동하다, 혼란시키다 (= perplex, puzzle)

She often confuses the twins.
그녀는 종종 그 쌍둥이를 ▨▨▨▨▨▨.

➕ confusion ⑲ 혼란
↔ focus ⑧ 집중시키다

026 apply
[əplái]

⑧ 지원하다; 적용하다

Please apply before the deadline.
마감일 전에 ▨▨▨▨▨ 주세요.

➕ application ⑲ 적용; 지원

027 educate
[édʒukèit]

⑧ 교육하다, 가르치다 (= teach)

She wanted to educate her daughter at the best schools.
그녀는 딸을 최고의 학교에서 ▨▨▨▨ 원했다.

➕ education ⑲ 교육

028 at most

기껏해야, 많아야

This room can accommodate three people at most.
이 방은 ▨▨▨▨▨ 세 명이 숙박할 수 있다.

↔ at least 적어도

029 what's more

게다가, 더구나 (= moreover, furthermore)

What's more, he was not the one who started the fight.
▨▨▨▨▨ 그는 싸움을 시작한 사람도 아니었다.

030 as well

~ 또한

They are coming as well.
그들 ▨▨▨▨ 올 거야.

Get More　　boring vs. bored

1 boring ⑲ 지루하게 하는
The movie was long and boring.
그 영화는 길고 지루했다.

2 bored ⑲ 지루함을 느끼는
I was bored all day long.
나는 하루 종일 지루했다.

✎ ANSWERS p. 274

A 영어는 우리말로, 우리말은 영어로 쓰시오.

1 combine _____
2 as well _____
3 pot _____
4 confuse _____
5 what's more _____

6 누구나, 아무나 _____
7 유형, 타입, 전형 _____
8 짜증나게 하다, 귀찮게 하다 _____
9 구절, 말로 표현하다 _____
10 기껏해야, 많아야 _____

B 빈칸에 알맞은 단어를 [보기]에서 골라 쓰시오. (필요시 형태를 고칠 것)

| 보기 | advertise | apply | bore | educate | recycle |

11 How can I _____ for a scholarship?
장학금은 어떻게 신청하죠?

12 It's a very good way to _____ the product.
그것은 그 상품을 광고하는 아주 좋은 방법입니다.

13 How to _____ children is the most important thing.
어떻게 아이들을 교육할 것인가가 가장 중요한 일이다.

14 I'll do the job as long as it doesn't _____ me.
나를 지겹게 하지 않는 한 나는 그 일을 할 거야.

15 Let's take the aluminum cans and _____ them.
저 알루미늄캔을 가져가서 재활용합시다.

C 관계있는 것끼리 서로 연결하시오.

16 phrase •
17 bore •
18 advertise •
19 educate •
20 combine •

• ⓐ to join together or unite
• ⓑ to train and teach someone at a school
• ⓒ a set of words expressing a single idea
• ⓓ to make someone feel tired and uninterested
• ⓔ to make something known generally in order to sell it

DAY 03

 MP3 파일을 들으면서
단어를 따라 읽어보세요.

---

031 remove
[rimúːv]

동 제거하다 (= delete); 치우다 (= take away)

Remove all metal before walking through the metal detector.
금속 탐지기를 지나기 전에 모든 금속을 ░░░░░░.

➕ removal 명 제거
↔ add 동 추가하다

---

032 physical
[fízikəl]

physical education
체육

형 육체의; 물질의 (= material)

You need to be in good **physical** condition to participate in this event.
이 행사에 참가하려면 좋은 ░░░░░░ 상태이어야 합니다.

➕ physically 부 물리적으로
↔ mental 형 정신적인

---

033 improve
[imprúːv]

동 나아지다, 향상시키다 (= make better)

Quality of life dramatically **improved** during the last 10 years.
지난 10년간 삶의 질이 극적으로 ░░░░░░.

➕ improvement 명 개선; 향상
↔ worsen 동 악화되다

---

16 Part I 빈출 어휘로 내신 잡기

034 amaze
[əméiz]

동 놀라게 하다 (= surprise, astonish)

I was amazed to see her win the match.
그녀가 그 경기를 이기는 것을 보고 나는   .

➕ amazement 명 놀람

---

035 belief
[bilíːf]

명 믿음, 신념 (= trust)

His belief in God is very strong.
그의 신에 대한   은 매우 강하다.

➕ believe 동 믿다
↔ disbelief 명 불신

---

036 material
[mətíəriəl]

명 재료; 물질 (= substance, matter)

As the cost of raw materials rose last year, we were forced to increase the prices.
작년에 원   가격이 상승함에 따라, 우리는 가격을 올릴 수밖에 없었다.

➕ materialize 동 실현되다, 구체화하다

---

037 surf
[səːrf]

동 서핑하다

When I have free time, I usually surf the Internet.
나는 한가할 때 보통 인터넷을   .

➕ surfer 명 파도타기 하는 사람; 인터넷을 즐기는 사람

---

038 belong
[bilɔ́(ː)ŋ]

동 (~의) 소유물이다; 소속하다

This book belongs to me.
이 책은 내   .

---

039 link
[liŋk]

동 연결하다 (= connect)
명 연결; 관계

This bridge links both sides of the Han River.
이 다리는 한강의 양쪽을   .

↔ disconnect 동 분리하다, 연결을 끊다
   disconnection 명 단절, 분리

040 especial
[ispéʃəl]

형 특별한, 각별한 (= special, uncommon)

This workshop will be of especial interest to engineering majors.
이 워크숍은 공학 전공자들이   관심을 가질 것이다.

✚ especially 彤 특별히
↔ ordinary 형 평범한

041 successful
[səksésfəl]

형 성공한, 출세한

You need to use your time wisely to be successful.
    위해서는 시간을 현명하게 사용해야 한다.

✚ success 명 성공
↔ unsuccessful 형 실패한

042 cell
[sel]

명 세포; 작은 방; 전지

You need a microscope to look inside a cell.
    내부를 보기 위해서는 현미경이 필요하다.

✚ cellular 형 세포의; 휴대전화의

cell phone
휴대전화

043 right now

당장, 지금 (= at once, right away)

Come here right now!
    이리로 와!

044 all the way

내내, 줄곧, 완전히

He kept talking all the way home.
그는 집에 오는   계속 말을 했다.

045 the icing on the cake

금상첨화, 어떤 상황을 더 좋게 만드는 것

His promotion is the icing on the cake.
    그는 승진하였다.

 Get More physical *vs.* mental

1 physical 형 육체의, 신체의
physical labor 육체 노동

2 mental 형 정신적인
mental health 정신 건강

✎ ANSWERS p. 274

Ⓐ 영어는 우리말로, 우리말은 영어로 쓰시오.

1	belong	_____	6	세포, 작은 방, 전지 _____
2	surf	_____	7	믿음, 신념 _____
3	successful	_____	8	내내, 줄곧, 완전히 _____
4	right now	_____	9	금상첨화 _____
5	material	_____	10	특별한, 각별한 _____

Ⓑ 빈칸에 알맞은 단어를 [보기]에서 골라 쓰시오. (필요시 형태를 고칠 것)

보기	amaze	remove	physical	link	improve

11 Mike and his friends are interested in _____ education.
Mike와 친구들은 체육에 관심이 있다.

12 My teacher said I had to _____ my writing skills.
선생님은 내가 작문 실력을 향상시켜야 한다고 말씀하셨다.

13 Love is the _____ that holds two people together.
사랑은 두 사람을 함께 묶어주는 연결 고리이다.

14 Just the size of the place _____ her.
그 장소의 크기만 해도 그녀에겐 놀라웠다.

15 _____ foil and bake for 5 more minutes.
호일을 벗겨내고, 5분 더 구우세요.

Ⓒ A : B = C : D의 관계가 되도록 빈칸에 알맞은 단어를 [보기]에서 골라 쓰시오.

보기	amaze	especial	link	improve	remove

16 belief : trust = connect : _____

17 physical : mental = add : _____

18 annoy : irritate = surprise : _____

19 disagree : differ = make better : _____

20 succeed : fail = ordinary : _____

DAY 04

이 alarm 시계 참 예쁘죠? 이거 사고 싶어요.

저게 더 튼튼해 보이는데? 게다가 deliver 요금도 없네.

음, 그럼 그걸로 할게요.

좋은 생각이야!

◀)) MP3 파일을 들으면서 단어를 따라 읽어보세요.

---

046 **contact**
□□
[kάntækt]

con[together]+tact[touch]
서로 접촉하다 → 연락하다

통 연락하다, 접촉하다 (= touch)
명 접촉; 교제

Feel free to **contact** me if you need anything.
무엇이든 필요하면 주저하지 말고 나에게 [   ].

---

047 **experiment**
□□
[ikspérəmənt]

명 실험 (= research, test)
통 실험하다

This **experiment** will prove my theory.
이 [   ]이 나의 이론을 증명해줄 것입니다.

➕ experimental 혱 실험적인

---

048 **inform**
□□
[infɔ́:rm]

통 알리다 (= notify, tell)

I am happy to **inform** you of your promotion.
당신이 승진하게 되었음을 [   ] 기쁩니다.

➕ information 명 정보
information 혱 정보의, 정보를 제공하는

---

049 complain
[kəmpléin]

동 불평하다; 호소하다; 고발하다

Jane complained about the high price.
Jane은 높은 가격에 대해 ▩▩▩▩.

➕ complaint 명 불평

050 alarm
[əlá:rm]

명 놀람; 경보 (= warning)
동 경보하다; 놀라게 하다

Set the alarm clock before you go to sleep.
자기 전에 ▩▩▩▩ 시계를 맞춰놓아라.

➕ alarming 형 놀라운; 불안하게 하는

alarm clock
알람 시계

강세주의

051 concern
[kənsə́:rn]

con[together]+cern[shift]
함께 옮기다 → 관계가 있다

동 걱정시키다 (= worry); 관계가 있다
명 걱정; 관심

His low grades concerned his mother.
그의 낮은 성적이 어머니를 ▩▩▩▩.

052 develop
[divéləp]

동 개발하다; 성장시키다(= progress);
  (필름을) 현상하다

Electronics companies hire engineers to develop new products.
전자 회사는 새로운 제품을 ▩▩▩▩ 위해서 기술자들을 고용한다.

➕ development 명 개발; 성장

053 proper
[prápər]

형 적절한 (= appropriate), 올바른

This season is the proper time to plant potatoes.
이 계절이 감자를 심기에 ▩▩▩▩ 때이다.

➕ properly 부 적절하게

054 decision
[disíʒən]

명 결정

I am not going to regret this decision.
나는 이 ▩▩▩▩을 후회하지 않을 것이다.

➕ decide 동 결정하다

055 **deliver**
[dilívər]

deliver pizza
피자를 배달하다

통 배달하다; 넘겨주다; 분만하다

Products will be **delivered** in two days.
제품은 이틀 후에 [   ] 될 것입니다.

✚ delivery 명 배달

056 **useless**
[júːslis]

형 쓸모없는 (= worthless)

Do not waste your energy on **useless** things.
[   ] 일에 에너지를 낭비하지 마라.

↔ useful, worthy 형 쓸모있는

057 **attract**
[ətrǽkt]

at[toward]+tract[draw]
~ 쪽으로 끌다 → 끌어당기다

통 마음을 끌다 (= entice); 끌어당기다 (= draw)

His charismatic voice **attracted** the attention of the audience.
그의 카리스마 있는 목소리가 청중의 관심을 [   ].

✚ attraction 명 매력, 끌림
↔ repel 통 불쾌감을 주다; 퇴짜 놓다

058 **all of a sudden**

갑자기 (= suddenly)

The baby started to cry **all of a sudden**.
아이는 [   ] 울기 시작했다.

059 **along with**

~과 함께

Steak was served **along with** vegetables.
스테이크는 야채와 [   ] 나왔다.

060 **once in a while**

이따금, 가끔

She was happily married but she felt lonely **once in a while**.
그녀의 결혼생활은 행복했으나 [   ] 외로움을 느꼈다.

 Get More   develop의 다양한 뜻

1 통 개발하다
develop natural resources
천연자원을 개발하다

2 통 (필름을) 현상하다
develop pictures
사진을 인화하다

✎ ANSWERS p. 274

A 영어는 우리말로, 우리말은 영어로 쓰시오.

1	experiment	_____	6	알리다	_____
2	develop	_____	7	놀람, 경보, 놀라게 하다	_____
3	attract	_____	8	~과 함께	_____
4	contact	_____	9	이따금, 가끔	_____
5	all of a sudden	_____	10	쓸모없는	_____

B 빈칸에 알맞은 단어를 [보기]에서 골라 쓰시오. (필요시 형태를 고칠 것)

보기	concern	complain	decision	proper	deliver

11 You should follow the _____ procedures.
적절한 절차를 따라야 한다.

12 We promise to _____ within 24 hours.
24시간 내에 배달해 드릴 것을 약속합니다.

13 They finally reached a _____.
그들은 마침내 결론을 내렸다.

14 My father will _____ to the police about this problem.
우리 아버지가 이 문제에 대해 경찰에 고발할 것이다.

15 His poor health is a constant _____.
그가 건강하지 않다는 것이 늘 걱정이다.

C 설명하는 단어를 [보기]에서 골라 쓰시오.

보기	attract	contact	develop	complain	inform

16 the act or state of touching _____

17 to make someone interested in something _____

18 to say that something is wrong or not good enough _____

19 to tell someone about something or give a person information _____

20 to grow or change into something bigger, stronger or more advanced _____

DAY 05

■) MP3 파일을 들으면서
단어를 따라 읽어보세요.

---

061 **load**
[loud]

⑧ (짐을) 싣다
⑨ 짐 (= burden)

Be careful when you load heavy items.
무거운 제품을 〔   〕 때는 조심해라.

↔ unload ⑧ (짐을) 내리다

---

062 **interest**
[íntərəst]

⑨ 흥미; 이익, 이자
⑧ 관심을 끌다

It is in our interest to help other countries.
다른 나라를 돕는 것은 우리에게 〔   〕 이 됩니다.

➕ interesting ⑱ 흥미있는

---

063 **melt**
[melt]

⑧ 녹다; 용해하다 (= dissolve)

The snow melted as soon as it touched the ground.
눈은 땅에 닿자마자 〔   〕 없어졌다.

↔ solidify ⑧ 응고시키다

---

064 **confident**
[kánfidənt]

con[with]+fid[trust]+ent
믿고 있는 → 확신하는

형 자신감 있는; 확신하는 (= certain, convinced)

I am confident that we will win.
우리가 이길 것을 ▨▨▨▨.

➕ confidence 명 자신감; 신임
↔ unsure 형 자신이 없는

---

065 **supply**
[səplái]

동 공급하다 (= provide)
명 공급

The government will supply money for the project.
정부가 프로젝트를 위한 돈을 ▨▨▨▨ 것이다.

➕ supplier 명 공급자

강세주의

066 **represent**
[rèprizént]

동 나타내다; 대표하다

He represented his country at the Olympics.
그는 올림픽 경기에서 자기 나라를 ▨▨▨▨.

---

067 **instruct**
[instrʌ́kt]

동 지시하다, 가르치다 (= teach)

She finished the mission as instructed.
그녀는 ▨▨▨▨ 대로 임무를 완수했다.

➕ instruction 명 지시; 교육

---

068 **scary**
[skέəri]

형 무서운 (= frightening); 겁 많은

It is really scary to be alone in the dark.
어둠 속에 홀로 있는 것은 정말 ▨▨▨▨.

➕ scare 동 겁주다, 놀라게 하다
scared 형 무서워하는, 겁먹은

scary movie
공포 영화

---

069 **ease**
[iːz]

동 편하게 하다; (고통 등을) 덜어 주다
명 쉬움; 편안함

This drug will help ease the pain.
이 약이 통증을 ▨▨▨▨ 데 도움이 될 것입니다.

➕ easy 형 쉬운, 편안한
↔ difficulty 명 어려움

070 emergency
[imə́:rdʒənsi]

명 비상사태, 긴급, 비상시

Please remember the location of each **emergency** exit.

각 〓〓〓 출구의 위치를 기억해 두세요.

➕ emergent 형 긴급한; 나타나는

발음주의

071 astronaut
[ǽstrənɔ̀:t]

astro[star]+naut[sailor]
별을 향해하는 선원 → 우주비행사

명 우주비행사

Armstrong was the first **astronaut** to walk on the moon.

Armstrong은 처음으로 달 위를 걸은 〓〓〓 이다.

072 operate
[ápərèit]

동 가동하다(= run), 움직이다; 수술하다

Read the manual before you **operate** it.

그것을 〓〓〓 전에 사용설명서를 읽으시오.

➕ operation 명 작업; 작동; 수술

073 in a sense

어떤 의미로는

It may be true **in a sense**, but I cannot agree with you.

그것이 〓〓〓 사실일지도 모르겠지만, 당신에게 동의할 수 없습니다.

074 head for

~을 향해 가다

As soon as they arrived, they **headed for** the beach.

그들은 도착하자마자 해변을 〓〓〓.

075 by this time

이때까지는

I promise I will be a great student **by this time** next year.

저는 내년 〓〓〓 훌륭한 학생이 되어 있을 것을 약속합니다.

Get More   interest의 다양한 뜻

1 명 관심, 흥미
I watched the show with **interest**.
나는 관심을 갖고 그 쇼를 지켜보았다.

2 명 이자
I paid **interest** on a loan.
나는 융자금에 대해 이자를 지불했다.

DAY 05 Wrap-up Test

✏ ANSWERS p. 275

A 영어는 우리말로, 우리말은 영어로 쓰시오.

1	load	_____	6	편안함, 편하게 하다	_____
2	in a sense	_____	7	무서운, 겁 많은	_____
3	instruct	_____	8	~을 향해 가다	_____
4	confident	_____	9	녹다, 용해하다	_____
5	by this time	_____	10	흥미, 이익, 이자	_____

B 빈칸에 알맞은 단어를 [보기]에서 골라 쓰시오. (필요시 형태를 고칠 것)

> 보기   astronaut   represent   emergency   operate   supply

11 The government declared a state of _____ yesterday.
정부가 어제 비상사태를 선포했다.

12 The attorney wants to _____ him in the case.
그 변호사는 그 소송에서 그를 변호하고 싶어 한다.

13 This machine is very easy to _____.
이 기계는 조작하기가 매우 쉽다.

14 The UN has agreed to provide the _____ of aid.
UN은 원조를 제공하는 것에 동의했다.

15 She applied to NASA to enter the _____ program.
그녀는 우주비행사 프로그램에 참여하기 위해 NASA에 지원했다.

C 설명하는 단어를 [보기]에서 골라 쓰시오.

> 보기   scary   melt   confident   emergency   astronaut

16 causing fear or anxiety _____

17 someone who is trained to travel in a spacecraft _____

18 certain of something or having trust in something _____

19 to make or become soft or liquid _____

20 an unexpected and serious event that calls for
immediate action _____

DAY 01~05 · Review Test

✎ ANSWERS p. 275

다음 우리말에 맞게 빈칸에 주어진 철자로 시작하는 단어를 쓰시오.

DAY 01
1 전자계산기   an e_____ calculator
2 주말 휴식   a w_____ break
3 에너지원   an energy s_____
4 차이를 인정하다   agree to d_____
5 책임 있는 자리   a r_____ position
6 차이를 구별하다   tell the d_____

DAY 02
7 명사구   a noun p_____
8 독학하다   e_____ oneself
9 화분   a plant p_____
10 혈액형   a blood t_____
11 두 정당을 합치다   c_____ two parties
12 일자리에 지원하다   a_____ for a job

DAY 03
13 신체적 외모   a p_____ appearance
14 건축 자재   building m_____s
15 운동 신경 세포   a motor nerve c_____
16 연결 도로   a l_____ road
17 종교적 신념   religious b_____
18 수준을 향상시키다   i_____ standards

DAY 04
19 필름을 현상하다   d_____ films
20 적당한 때   the p_____ time
21 소포를 배달하다   d_____ a package
22 결정을 내리다   make a d_____
23 화재 경보기   a fire a_____
24 실험실 실험   a laboratory e_____

DAY 05
25 무서운 이야기   a s_____ story
26 수요와 공급   s_____ and demand
27 자신만만하다   be c_____ in oneself
28 국가 비상사태   a national e_____
29 불법 이자   illegal i_____
30 통증을 덜다   e_____ the pain

Zoom In

	British English	American English
사탕	sweet	candy
과자	biscuit	cookie
1층	ground floor	first floor
승강기	lift	elevator
자동차	motorcar	automobile
고속도로	motorway	freeway / expressway
아파트	flat	apartment
바지	trousers	pants
가을	autumn	fall
감자튀김	chips	French fries
택시	taxi	cab
지하철	underground	subway
교차로	crossroads	intersection
약국	chemist	drugstore
지우개	rubber	eraser
쓰레기	rubbish	garbage
휘발유	petrol	gasoline
주차장	car park	parking lot
인도, 보도	pavement	sidewalk
(자동차의) 트렁크	boot	trunk
(자동차의) 앞 유리	windscreen	windshield
휴가	holiday	vacation
유모차	pushchair	stroller
우체통	postbox	mailbox
기저귀	nappy	diaper
화장실	WC	bathroom
휴대전화	mobile(phone)	cell phone

그 당시 empire는 전성기를 누리고 있었어.

많은 나라들이 그 empire와 교류하고 싶어 했어.

그래서 empire와 여러 나라 사이에 trade가 이루어졌어.

그 empire가 최초의 관세제도를 만들었다고 전해진대.

◀》 MP3 파일을 들으면서
단어를 따라 읽어보세요.

---

076 method
[méθəd]

몡 방법 (= way)

Scientists developed a new method for producing electricity.
과학자들은 전기를 만들어내는 새로운   을 개발했다.

---

077 reflect
[riflékt]

re[again]+flect[bend]
다시 구부리다 → 반사하다

동 반사하다, 비추다

He saw his face reflected in water.
그는 물에   자신의 얼굴을 보았다.

➕ reflection 몡 반사

---

078 trade
[treid]

몡 교역, 무역
동 교역하다

China is the No.1 trade partner for Korea.
중국은 한국에게 제1의   상대국이다.

➕ trader 몡 거래인; 상인
   trademark 몡 (등록) 상표

강세주의

079 identity
[aidéntəti]

명 신원; 동일함

After the investigation, his true identity was revealed.

수사 후에, 그의 진짜 [   ] 이 밝혀졌다.

➕ identify 동 확인하다

---

080 passage
[pǽsidʒ]

명 통로 (= corridor); (글의) 구절

They dug a secret underground passage to hide from police.

그들은 경찰로부터 숨기 위해 비밀 지하 [   ] 를 팠다.

---

081 article
[áːrtikl]

명 기사; 물품; 조항

Your article on health was very helpful.

건강에 대해 당신이 쓴 [   ] 는 매우 도움이 되었습니다.

---

082 select
[silékt]

동 선택하다, 선정하다 (= choose)

She was selected to be the captain of the national team.

그녀는 국가대표팀의 주장으로 [   ].

➕ selection 명 선택, 선발

---

083 crime
[kraim]

명 범죄; 부끄러운 짓

Robbery is a serious crime.

강도는 심각한 [   ] 이다.

➕ criminal 명 범죄자 형 범죄의

발음주의

084 atmosphere
[ǽtməsfiər]

atmo[air]+sphere[globe]
지구의 공기 → 대기

명 대기; 공기; 분위기

He used candles to create a romantic atmosphere.

그는 낭만적인 [   ] 를 조성하기 위해 촛불을 사용했다.

085 empire
[émpaiər]

Roman Empire
로마 제국

명 제국

The first emperor of the Roman Empire was Augustus.
로마 [   ] 의 첫 번째 황제는 아우구스투스였다.

➕ emperor 명 황제

086 appropriate
[əpróuprièit]

형 적절한 (= suitable), 올바른

Blue jeans are not appropriate for a formal party.
공식적인 파티에 청바지는 [   ] 않다.

↔ inappropriate 형 부적절한

087 rid
[rid]

rid−rid(ded)−rid(ded)

동 없애다 (= remove)

I ridded the room of flies.
나는 방에서 파리를 [   ].

➕ rid A of B A에서 B를 없애다

088 walk across

~을 가로질러 가다

They had to walk across the town for water.
그들은 물을 얻기 위해서 마을을 [   ] 했다.

089 in effect

사실상, 실제로는

That is a refusal in effect.
그것은 [   ] 거절이다.

090 come along

~을 따라가다

I am glad that you came along with me.
나는 네가 나를 [   ] 줘서 기뻐.

Get More   atmosphere의 다양한 뜻

1 명 (지구 또는 행성의) 대기
the upper atmosphere 상층부 대기
Saturn's atmosphere 토성의 대기

2 명 분위기
a party atmosphere 파티 분위기
a relaxed atmosphere 안락한 분위기

DAY 06 Wrap-up Test

✎ ANSWERS p. 275

A 영어는 우리말로, 우리말은 영어로 쓰시오.

1	reflect	_____	6	사실상, 실제로는	_____
2	select	_____	7	제국	_____
3	appropriate	_____	8	~을 가로질러 가다	_____
4	passage	_____	9	교역, 무역, 교역하다	_____
5	come along	_____	10	대기, 공기, 분위기	_____

B 빈칸에 알맞은 단어를 [보기]에서 골라 쓰시오. (필요시 형태를 고칠 것)

보기	crime	identity	method	article	rid

11 They are thinking of a new _____ to solve the problem.
그들은 그 문제를 해결할 새로운 방법을 생각하고 있다.

12 The serial killer used a false _____.
그 연쇄 살인범은 신원을 속였다.

13 There is no such thing as a perfect _____.
완전 범죄란 없다.

14 This pill will get _____ of the pain in your shoulder.
이 약이 당신 어깨의 통증을 없애 줄 것입니다.

15 I read a(n) _____ about the young scientists in the world.
나는 세계의 젊은 과학자들에 대한 기사를 읽었다.

C 설명하는 단어를 [보기]에서 골라 쓰시오.

보기	trade	atmosphere	crime	article	empire

16 an illegal action or activity _____

17 the layer of gas surrounding a planet _____

18 a group of nations under the control of a single ruler _____

19 the activity of buying and selling at an international level _____

20 a piece of writing about a particular subject in a newspaper, magazine, etc. _____

나 오는 길에 professor를 우연히 만났어.

그가 이 근처에 살고 있어?

뭐랬다고?

이 근처 마을에 살고 계셔. 많은 wooden house가 있는 유명한 마을이지.

아, 나 거기 몇 주 전에 다녀왔어! 그곳 사람들은 자연친화적인 삶을 maintain하고 있더라.

거기 야아!

🔊 MP3 파일을 들으면서 단어를 따라 읽어보세요.

---

091 **comfort**
[kʌ́mfərt]

몡 편안함; 위로
통 위로하다 (= console, soothe)

This chair is designed for maximum **comfort**.
이 의자는 최대한 [   ] 하도록 디자인되었다.

➕ comfortable 혱 편안한
↔ discomfort 몡 불편함; 불쾌

---

092 **excite**
[iksáit]

통 흥분시키다, 자극하다 (= stimulate)

The $10,000 bonus was enough to **excite** employees.
만 달러의 보너스는 직원들을 [   ]에 충분했다.

↔ calm 통 가라앉히다

---

093 **approve**
[əprúːv]

통 찬성하다, 승인하다

The council **approved** a plan to improve public transportation.
의회는 대중교통 개선 계획을 [   ].

➕ approval 몡 승인, 찬성
↔ disapprove 통 안 된다고 하다; 비난하다

---

094 approach
[əpróutʃ]

통 접근하다

Watch out. The train is approaching.
조심하시기 바랍니다. 열차가 ░░░░░ 중입니다.

---

095 attach
[ətǽtʃ]

통 붙이다, 첨부하다

Please attach a copy of the recommendation letter when submitting your application.
당신의 지원서를 제출할 때 추천서를 한 부 ░░░░░.

✚ attachment 명 첨부물; 부착
↔ detach 통 떼어내다

---

096 level
[lévəl]

명 수준, 표준 (= standard); 수평; 높이
통 평평하게 하다

You should read and write English fluently at this level.
이 ░░░░░ 에서는 유창하게 영어를 읽고 써야 한다.

---

097 wooden
[wúdn]

형 나무의, 나무로 된

My dream is to live in a wooden house.
░░░░░ 집에서 사는 것이 나의 꿈이다.

✚ wood 명 나무, 목재
woody 형 나무 같은, 목질의

wooden hammer
나무망치

강세주의

098 afford
[əfɔ́ːrd]

통 여유가 있다

I can't afford to buy a house.
나는 집을 살 ░░░░░ 않다.

✚ affordable 형 감당할 수 있는

강세주의

099 maintain
[meintéin]

통 유지하다 (= continue); 주장하다; 지지하다

In spite of the recent rise in prices of raw materials, we will maintain low prices.
최근 원자재 가격의 상승에도 불구하고, 우리는 낮은 가격을 ░░░░░ 할 것이다.

✚ maintenance 명 유지, 지속

100 **professor**
[prəfésər]

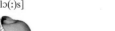

명 교수

He was made an assistant professor at the age of 27.
그는 스물일곱 살에 조░░░░░가 되었다.

101 **loss**
[lɔ(ː)s]

명 손실

Because of the recent financial crisis, his company suffered a gigantic loss.
최근 금융위기 때문에, 그의 회사는 엄청난 ░░░░░을 입었다.

↔ gain 명 이득

weight loss
체중감량

102 **react**
[riǽkt]

동 반응하다 (= respond)

How did he react to the news?
그는 그 뉴스에 어떻게 ░░░░░?

✚ reaction 명 반응

103 **go back**

되돌아가다

Because I forgot to lock the doors, I had to go back home.
문 잠그는 것을 잊어버렸기 때문에, 나는 집으로 ░░░░░ 했다.

104 **run into**

우연히 만나다

We might run into each other someday.
우리는 언젠가 서로 ░░░░░ 수도 있다.

105 **have a hard time -ing**

~하는 데 어려움을 겪다

We are having a hard time understanding the new formula.
우리는 새로운 공식을 이해 ░░░░░ 있다.

Get More level의 다양한 뜻

1 명 수준
a high level of achievement
높은 수준의 성취도

2 동 평평하게 하다
level the ground
땅을 고르다

✐ ANSWERS p. 275

A 영어는 우리말로, 우리말은 영어로 쓰시오.

1	attach	_____	6	유지하다, 주장하다	_____
2	level	_____	7	나무로 된, 나무의	_____
3	loss	_____	8	흥분시키다, 자극하다	_____
4	afford	_____	9	되돌아가다	_____
5	run into	_____	10	~하는 데 어려움을 겪다	_____

B 빈칸에 알맞은 단어를 [보기]에서 골라 쓰시오. (필요시 형태를 고칠 것)

보기	react	approach	professor	approve	comfort

11 As you _____ the building, you will see a tree on the right.
건물에 가까이 가다 보면, 우측에 나무가 보일 것입니다.

12 The _____ will be back in December.
교수님은 12월에 돌아오실 것이다.

13 All sports shoes are designed for _____ and performance.
모든 운동화는 편안함과 기능성을 고려하여 만들어진다.

14 How did your colleagues _____ to the news?
동료들이 그 소식에 어떻게 반응했니?

15 The committee will _____ his final plan.
위원회는 그의 최종 기안을 승인할 것이다.

C A : B = C : D의 관계가 되도록 알맞은 단어를 [보기]에서 골라 쓰시오.

보기	react	comfort	attach	excite	loss

16 sunrise : sunset = gain : _____

17 maintain : continue = respond : _____

18 appropriate : suitable = soothe : _____

19 release : arrest = calm : _____

20 lose : win = detach : _____

DAY 08

🔊 MP3 파일을 들으면서
단어를 따라 읽어보세요.

---

106 □□ delivery
[dilívəri]

몡 배달; 분만

The pizza restaurant guarantees **delivery** within 30 minutes.
그 피자 레스토랑은 30분 안에 ▨▨▨ 을 보장한다.

➕ deliver 图 배달하다; 출산하다

---

107 □□ struggle
[strʌ́gl]

图 투쟁하다 (= fight); 전력을 다하다 (= strive)
몡 투쟁, 싸움 (= quarrel)

The lamb **struggled** for his life but the lion was too strong.
양은 필사적으로 ▨▨▨, 사자는 너무 강했다.

---

108 □□ delight
[diláit]

图 기뻐하다; 기쁘게 하다 (= please, satisfy)
몡 기쁨

I am **delighted** to hear the news.
나는 그 소식을 듣게 되어 ▨▨▨.

➕ delightful 톙 기쁜
↔ grieve 图 슬프게 하다

---

109 lot [lɑt]	명 많음; 제비뽑기; 몫 부 아주, 매우 I love you a lot. 나는 너를 ░░░░ 사랑해. ➕ a lot of 많은

발음주의

110 adopt [ədápt]	동 채택하다 (= choose); 입양하다 The council adopted a new bill that promotes adoption. 의회는 입양을 장려하는 새 법안을 ░░░░. ➕ adoption 명 채택; 입양

111 essay [ései]	명 에세이, 글 The teacher gave us a 500-word essay assignment. 선생님은 우리에게 500 단어 ░░░░ 숙제를 내주셨다.

112 export 명[ékspɔ:rt] 동[ikspɔ́:rt]	명 수출 동 수출하다 The Korean economy heavily depends on exports. 한국 경제는 ░░░░ 에 크게 의존한다. ↔ import 명 수입 동 수입하다

113 tax [tæks] tax increase 세금 인상	명 세금; 무거운 부담 동 세금을 부과하다 A tax imposed on an imported product is called a tariff. 수입품에 부과되는 ░░░░ 을 관세라고 한다.

114 sidewalk [sáidwɔ̀:k]	명 보도, 인도 You always have to watch out for cars even when you are on the sidewalk. ░░░░ 에 있더라도 항상 차를 조심해야 한다.

Day **08**

115 refund

☐☐

명[ríːfʌnd]
동[riːfʌnd]

re[back]+fund[pour]
다시 쏟아내다 → 환불하다

명 환불
동 환불하다, 상환하다

If you are not satisfied, you can always ask for a refund.
만족하지 못하신다면 언제라도 ▨▨▨▨ 을 요청하실 수 있습니다.

116 headache

☐☐

[hédèik]

명 두통

I cannot focus on my school work because of this headache.
나는 ▨▨▨▨ 때문에 공부에 집중할 수가 없다.

117 anxiety

☐☐

[æŋzáiəti]

명 불안 (= concern); 열망 (= eagerness)

He felt anxiety over the possible loss of his job.
그는 실직 가능성에 대해 ▨▨▨▨ 을 느꼈다.

➕ anxious **형** 불안해하는; 열망하는

118 send back to

☐☐

~에게 되돌려 보내다

Fill out the attached form and send it back to us.
첨부된 양식을 채워서 저희에게 ▨▨▨▨ 바랍니다.

119 pay off

☐☐

빚을 갚다

It took more than 10 years to pay off the debt.
그 빚을 ▨▨▨▨ 데 10년이 넘게 걸렸다.

120 result in

☐☐

결과를 낳다

His hard work resulted in a good result.
그는 열심히 일해서 좋은 ▨▨▨▨ .

Get More   adopt의 다양한 뜻

1 **동** 채택하다
adopt a policy
정책을 채택하다

2 **동** 입양하다
adopt a child
아이를 입양하다

DAY 08 Wrap-up Test

ANSWERS p. 276

Day 08

A 영어는 우리말로, 우리말은 영어로 쓰시오.

1	struggle	_____	6	많음, 제비뽑기, 뭇	_____
2	essay	_____	7	빚을 갚다	_____
3	anxiety	_____	8	세금, 세금을 부과하다	_____
4	export	_____	9	두통	_____
5	send back to	_____	10	결과를 낳다	_____

B 빈칸에 알맞은 단어를 [보기]에서 골라 쓰시오. (필요시 형태를 고칠 것)

보기	export	adopt	sidewalk	delight	refund

11 Customers have the right to demand a(n) _____.
고객들은 환불을 요구할 권리가 있다.

12 Many people are walking on the _____.
많은 사람들이 보도를 걷고 있다.

13 This news will _____ her fans in Korea.
이 소식은 한국에 있는 그녀의 팬들을 기쁘게 해줄 것이다.

14 It is not a good idea to _____ the policy.
그 정책을 채택하는 것은 좋은 생각이 아니다.

15 This country _____ natural resources.
이 나라는 천연 자원을 수출한다.

C 설명과 일치하는 단어를 골라 ✓표시를 하시오.

16	a short formal piece of writing	☐essay	☐diary
17	a strong feeling of fear or distress	☐desire	☐anxiety
18	to pay back money received or spent	☐fee	☐refund
19	to sell or send goods to another country	☐export	☐import
20	to take the child of other parents into one's own family	☐adopt	☐adapt

Day 08   **41**

아들의 미국 친구를 위해 떡볶이를 준비할까 해요.

그 친구는 매운 음식은 dislike한다고 들었는걸?

그럼 chip을 만들어 봐야 겠네요.

좋은 생각이야!

◀ MP3 파일을 들으면서 단어를 따라 읽어보세요.

---

121 dislike
[disláik]

명 싫어함
동 싫어하다 (= hate)

His **dislike** for vegetables was unusual even for a child.
어린아이라 치더라도, 그 아이가 야채를 ▨▨▨▨ 것은 남달랐다.

↔ like 동 좋아하다

발음주의

122 suitable
[súːtəbl]

형 적합한 (= appropriate, right)

This movie is not **suitable** for children under 12.
이 영화는 12살 미만 어린이에게는 ▨▨▨▨ 않다.

✛ suit 동 어울리다
↔ unsuitable 형 부적합한

---

123 flexible
[fléksəbl]

flex[bend]+ible
구부리기 쉬운 → 유연한

형 유연한; 융통성 있는 (= adaptable)

She has a **flexible** opinion on the issue.
그녀는 그 문제에 대해 ▨▨▨▨ 의견을 가지고 있다.

↔ inflexible 형 경직된, 유연성이 없는

---

124 miracle
[mírəkl]

명 기적

It is a **miracle** that he survived the accident.
그가 사고에서 살아남았다는 건 ▓▓▓▓▓ 이다.

➕ miraculous 형 기적적인

125 anytime
[énitàim]

부 언제든지

We will leave **anytime** if you are ready.
네가 준비되면 ▓▓▓▓▓ 우리는 출발할 것이다.

126 lone
[loun]

형 단독의 (= solo, sole); 고독한

Hyundai is the **lone** supplier of official cars for this World Cup.
현대는 이번 월드컵 공식 차량의 ▓▓▓▓▓ 공급자이다.

➕ lonely 형 외로운, 쓸쓸한

127 departure
[dipá:rtʃər]

departure board
출발 안내 전광판

명 출발, 떠남; 벗어남

Her **departure** was a big loss for us.
그녀가 ▓▓▓▓▓ 것은 우리에게 큰 손실이었다.

➕ depart 동 떠나다, 출발하다
↔ arrival 명 도착

128 hunger
[hʌ́ŋgər]

명 배고픔, 굶주림 (= starvation)

He is on a **hunger** strike.
그는 ▓▓▓▓▓ 투쟁 중이다.

➕ hungry 형 배고픈

강세주의

129 decorate
[dékərèit]

동 꾸미다, 장식하다

She **decorated** the room with balloons and flowers.
그녀는 풍선과 꽃으로 그 방을 ▓▓▓▓▓.

130 **sticky**
[stíki]

형 끈적거리는 (= adhesive); 후덥지근한

His shoes became sticky because he stepped in glue.

그는 풀을 밟았기 때문에 신발이 ▨▨▨ 되었다.

➕ sticker 명 스티커

---

131 **chip**
[tʃip]

명 조각 (= fragment); 감자튀김
동 깎다, 잘게 썰다

After he finished sculpting, there were wooden chips everywhere.

그가 조각을 마친 후에, 나무 ▨▨▨ 이 사방에 널려 있었다.

---

132 **solar**
[sóulər]

형 태양의

These solar panels generate electricity.

이 ▨▨▨ 판넬들이 전기를 생산한다.

➕ solarize 동 태양 광선에 쬐다

---

133 **come up with**

(생각이) 떠오르다; ~을 따라잡다

Scientists came up with this brilliant idea.

과학자들은 이 놀라운 아이디어를 ▨▨▨.

---

134 **send for**

~을 부르러 보내다

Send for a doctor right now!

당장 의사를 ▨▨▨!

---

135 **leave for**

~을 향해 떠나다

After studying abroad for 10 years, he finally left for home.

10년간 해외에서 유학한 후, 그는 드디어 집을 ▨▨▨.

Get More flexible의 다양한 뜻

1 형 유연한
a flexible body
유연한 신체

2 형 융통성 있는
a flexible approach
융통성 있는 접근 방법

DAY 09 Wrap-up Test

✎ ANSWERS p. 276

A 영어는 우리말로, 우리말은 영어로 쓰시오.

1	send for	_____	6 감자튀김, 잘게 썰다	_____
2	miracle	_____	7 장식하다, 꾸미다	_____
3	dislike	_____	8 태양의	_____
4	sticky	_____	9 단독의, 고독한	_____
5	come up with	_____	10 ~을 향해 떠나다	_____

B 빈칸에 알맞은 단어를 [보기]에서 골라 쓰시오. (필요시 형태를 고칠 것)

보기	flexible	suitable	hunger	departure	anytime

11 I confirmed my reservation at the hotel before my _____.
나는 출발하기 전에 호텔 예약을 확인했다.

12 A lot of refugees are dying of _____.
많은 피난민들이 굶주림으로 죽어가고 있다.

13 Dancers' costumes are made of _____ materials.
무용수들의 의상은 유연한 재질로 만들어진다.

14 You can reach me at the office _____ before 6 o'clock.
사무실로 전화하시면 6시 전에는 언제든지 저와 연락하실 수 있습니다.

15 Ms. Johnson is a(n) _____ person for the position.
Johnson 씨가 그 자리에 적합한 인물이다.

C 관계있는 것끼리 서로 연결하시오.

16 flexible •   • ⓐ relating to the sun

17 departure •   • ⓑ the desire or need for food

18 dislike •   • ⓒ an act of going away or leaving

19 solar •   • ⓓ able to bend or be bent easily

20 hunger •   • ⓔ to consider someone or something
                    unpleasant and hate them

DAY 10

나는 이 시인의 시를 읽는 게 너무 좋아.

나도 그 시인 참 좋아해.

그의 lyric은 참 유명하지. 매일 읽어도 좋단 말이야 ~

그는 아마 genius일거야!

🔊 MP3 파일을 들으면서 단어를 따라 읽어보세요.

---

136 genius
[dʒíːnjəs]

📗 천재 (= prodigy); 천재성

He is a **genius** at computer programming.
그는 컴퓨터 프로그램의 [   ]이다.

⇔ fool 📗 바보

발음주의

137 crew
[kruː]

flight crew
승무원들

📗 승무원 (전원); 한패
📘 승무원의 일원으로 일하다

Cabin **crew**, please prepare for takeoff.
[   ]은 이륙 준비를 해주시기 바랍니다.

---

138 noisy
[nɔ́izi]

📗 시끄러운

She didn't like him because he was very **noisy**.
그녀는 그가 매우 [   ] 때문에 그를 좋아하지 않았다.

➕ noise 📗 소음
⇔ quiet 📗 조용한

---

139 dynamic
[dainǽmik]

형 역동적인 (= energizing); 동력의

Her **dynamic** personality gave energy to her co-workers.

그녀의   성격은 동료들에게 에너지를 주었다.

➕ dynamics 명 역학; 활력
↔ passive 형 활기 없는

140 lid
[lid]

명 뚜껑

Hold the **lid** down firmly with both hands.

양손으로   을 단단히 누르세요.

➕ lidded 형 뚜껑이 있는

141 lyric
[lírik]

명 가사, 노랫말; 서정시

These **lyrics** were written by a famous composer.

이   는 유명한 작곡가가 썼다.

142 shed
[ʃed]

shed – shed – shed

동 (눈물·피 등을) 흘리다; 버리다 (= remove, cast)
명 오두막; 차고, 간이 창고

I **shed** a lot of weight by exercising.

나는 운동으로 살을 많이   .

143 counsel
[káunsəl]

동 상담하다, 조언하다 (= advise, recommend)
명 조언 (= advice)

Always **counsel** with your lawyer before signing a contract.

계약을 체결하기 전에 항상 변호사와   .

➕ counselor 명 카운셀러, 상담전문가

144 maintenance
[méintənəns]

명 유지, 보수 관리

He could not pay the **maintenance** costs of the building.

그는 건물   비를 지불할 수 없었다.

➕ maintain 동 유지하다

maintenance man
정비원

145 upside
[ʌ́psàid]

명 위쪽

I hung a painting upside down on the wall.
나는 벽에 그림을   이 아래로 향하게 걸어놓았다.

---

146 hybrid
[háibrid]

명 잡종; 혼합체 (= mixture)

This dog is a hybrid between two breeds.
이 개는 두 품종 사이의   이다.

↔ purebred 명 순수혈종

강세주의

147 respond
[rispánd]

동 응답하다; 대응하다 (= reply)

Please respond if you can hear my voice.
내 목소리가 들리면   .

✛ response 명 응답; 대응

---

148 put in

일을 하다; 넣다

She often puts in 10 hours' work a day.
그녀는 종종 하루에 10시간씩   .

↔ put out 내놓다; (불 등을) 끄다

---

149 spend -ing

~하느라 시간을 보내다

He spends too much time playing video games.
그는 비디오 게임을 하는 데 너무 많은   .

---

150 show off

자랑하다, 뽐내다 (= boast)

She wanted to show off her new diamond ring to her friends.
그녀는 친구들에게 새 다이아몬드 반지를   싶어 했다.

Get More   noisy *vs.* noise

1 noisy 형 시끄러운
a noisy classroom
시끌벅적한 교실

2 noise 명 소음
a sudden noise
갑작스러운 소음

✎ ANSWERS p. 276

A 영어는 우리말로, 우리말은 영어로 쓰시오.

1	hybrid	_____	6	승무원 (전원), 한패	_____
2	upside	_____	7	(눈물 등을) 흘리다, 버리다	_____
3	put in	_____	8	뚜껑	_____
4	dynamic	_____	9	가사, 노랫말, 서정시	_____
5	spend -ing	_____	10	조언, 상담하다, 조언하다	_____

B 빈칸에 알맞은 단어를 [보기]에서 골라 쓰시오. (필요시 형태를 고칠 것)

> 보기 respond   maintenance   noisy   genius   show off

11 Everyone was shocked to hear the _____ sounds.
모든 사람이 그 시끄러운 소리에 충격을 받았다.

12 We have a good idea how to to _____ this situation.
우리는 이 상황에 어떻게 대응할지에 대한 좋은 생각이 있다.

13 He wanted to _____ his wife at the party.
그는 파티에서 그의 아내를 자랑하고 싶어 했다.

14 The _____ fees are included in the price.
보수 관리 비용이 가격에 포함되어 있다.

15 Many people think that he is a _____.
많은 사람들이 그가 천재라고 생각한다.

C 설명하는 단어를 [보기]에서 골라 쓰시오.

> 보기 counsel   hybrid   noisy   crew   lid

16 making a lot of noise _____

17 all the people who work on a ship or plane _____

18 a removable cover for a pot, box or other container _____

19 to give advice on social or personal problems _____

20 a plant or animal that has been produced from
two different types of plants or animals _____

Review Test

✎ ANSWERS p. 276

다음 우리말에 맞게 빈칸에 주어진 철자로 시작하는 단어를 쓰시오.

DAY 06

1	신분증	an i_____ card
2	특집 기사	a featured a_____
3	적절한 의상	a _____ clothing
4	범죄 예방	c_____ prevention
5	교수법	a teaching m_____
6	공정 거래	fair t_____

DAY 07

7	나무로 된 다리	a w_____ bridge
8	가격표를 달다	a _____ a price tag
9	활주로에 진입하다	a _____ the runway
10	계획을 승인하다	a _____ the plan
11	가격을 유지하다	m_____ prices
12	충격에 반응하다	r_____ to a shock

DAY 08

13	세금 환불	a t_____ refund
14	불안 장애	a _____ disorder
15	배달료	a d_____ charge
16	생존을 위한 경쟁	the s_____ for life
17	수출입 은행	an import-e_____ bank
18	심한 두통	a terrible h_____

DAY 09

19	경제 기적(회복)	an economic m_____
20	탄력적인 근무시간	f_____ working hours
21	적합한 후보	a s_____ candidate
22	단식 치료법	a h_____ cure
23	외톨이 늑대	a l_____ wolf
24	방을 장식하다	d_____ a room

DAY 10

25	보수 비용	m_____ fees
26	수학 천재	a mathematical g_____
27	떠들썩한 군중들	n_____ crowds
28	현명한 충고	a wise c_____
29	거꾸로 뒤집혀	u_____ down
30	잡종 동물	a h_____ animal

Zoom In

	British English	American English	뜻
-our / -or	colour	color	빛깔, 색
	flavour	flavor	풍미; 멋
	honour	honor	명예
	neighbour	neighbor	이웃
	rumour	rumor	소문
	labour	labor	노동
-re / -er	centre	center	중심, 중앙
	kilometre	kilometer	킬로미터
	litre	liter	리터
	theatre	theater	극장
-ce / -se	defence	defense	방어, 수비
	offence	offense	위반, 공격
-ise / -ize	organize / organise	organize	조직하다
	realize / realise	realize	깨닫다
	recognize / recognise	recognize	알아보다
	apologize / apologise	apologize	사과하다
-yse / -yze	analyse	analyze	분석하다
	catalyse	catalyze	촉진시키다
	paralyse	paralyze	마비시키다
-ogue / -og	catalogue	catalog	카탈로그
	dialogue	dialog	대화
	monologue	monolog	독백
기타	disc	disk	디스크
	cheque	check	수표; 점검
	cosy	cozy	아늑한
	doughnut	donut / doughnut	도넛
	grey	gray	회색
	jewellery	jewelry	보석류
	programme / program	program	프로그램

DAY 11

나는 불우한 childhood를 보내는 아이들을 위한 fund를 모금하고 있어.

내가 도울 수 있는 방법은 없어?

네 블로그에 이 캠페인에 관한 글을 작성해 줄래?

좋아!

네 블로그는 유명하니, come into effect 할거야.

◀» MP3 파일을 들으면서 단어를 따라 읽어보세요.

---

151 **bracelet**

[bréislit]

명 팔찌

He gave his wife a sapphire bracelet as a birthday present.

그는 아내에게 사파이어 _____를 생일 선물로 주었다.

➕ necklace 명 목걸이

---

152 **forecast**

[fɔ́ːrkæst]

fore[before]+cast[throw]
미리 던져보다 → 예측하다

통 예보하다 (= foretell); 예측하다 (= predict)
명 예상; 예보

The Korean economy is forecasted to grow 5% this year.

한국 경제는 올해 5% 성장이 _____.

---

153 **childhood**

[tʃáildhùd]

child[child]+hood[state]
어린 상태 → 어린 시절

명 어린 시절

His son reminded him of his own childhood.

그의 아들은 그에게 그의 _____을 떠올리게 했다.

➕ child 명 아이, 어린이
↔ adulthood 명 성인기

---

154 describe
☐☐ [diskráib]

de[down]+scribe[write]
써내려가다 → 서술하다

동 서술하다, 묘사하다 (= depict)

The victim described how he had been attacked.
피해자는 자신이 어떻게 공격을 받았었는지 [   ].

➕ description 명 서술

---

155 fund
☐☐ [fʌnd]

IMF(International Monetary Fund) 국제통화기금

명 기금, 자금
동 자금을 대다

The foundation is trying to establish a fund for the poor.
그 재단은 빈곤층을 위한 [   ]을 모으려 하고 있다.

---

156 fingerprint
☐☐ [fíŋgərprìnt]

명 지문

The detective recovered a fingerprint from the crime scene.
형사는 범죄 현장에서 [   ]을 채취했다.

➕ footprint 명 발자국

---

157 entrance
☐☐ [éntrəns]

명 출입구; 입장

They could not find the entrance to the building.
그들은 그 건물로 들어가는 [   ]를 찾을 수가 없었다.

➕ enter 동 들어가다; 참가하다

강세주의

158 insurance
☐☐ [inʃúərəns]

명 보험

All drivers are required to buy an insurance policy.
모든 운전자들은 [   ]에 가입해야 한다.

---

159 allowance
☐☐ [əláuəns]

명 허용, 허가; 용돈 (= pocket money)

Baggage allowance for this flight is 20kg.
이 항공편의 수하물 [   ]은 20kg입니다.

160 scarce
[skɛərs]

형 부족한 (= short); 드문 (= rare)

One-third of the world's population lives where water is scarce.
세계 인구의 3분의 1은 물이 ▨▨▨▨ 곳에 살고 있다.

✚ scarcity 명 부족, 결핍
↔ abundant 형 풍부한, 많은

161 wealthy
[wélθi]

형 부유한 (= rich)

Wealthy nations should assist other nations.
▨▨▨▨ 국가들은 다른 국가들을 도와야 한다.

✚ wealth 명 부유함
↔ poor 형 가난한

162 sauce
[sɔːs]

명 소스
동 ~에 소스를 치다

Could you give me some hot sauce, please?
매운 ▨▨▨▨ 를 좀 주시겠어요?

163 get along with

~와 사이좋게 지내다

How can we get along with people from other countries?
어떻게 하면 다른 나라에서 온 사람들과 ▨▨▨▨ 수 있을까요?

164 stand for

상징하다 (= symbolize), 나타내다, 의미하다

ROK stands for Republic of Korea.
ROK는 대한민국을 ▨▨▨▨.

165 come into effect

효력을 나타내다

New rules for visa application come into effect today.
비자 신청과 관련한 새로운 규칙이 오늘부터 ▨▨▨▨.

👨‍🚀 **Get More**　　allowance의 다양한 뜻

1 명 용돈, 수당
an allowance of $10 a week
일주일에 10달러의 용돈
a retiring allowance
퇴직 수당

2 명 허용, 승인
recommended dietary allowance
권장 식사 허용량
the allowance of a request
요구의 승인

DAY 11 Wrap-up Test

ANSWERS p. 277

Day 11

A 영어는 우리말로, 우리말은 영어로 쓰시오.

1 childhood _____
2 wealthy _____
3 bracelet _____
4 fund _____
5 come into effect _____

6 소스, ~에 소스를 치다 _____
7 예상, 예보하다, 예측하다 _____
8 용돈, 허용, 허가 _____
9 입장, 출입구 _____
10 ~와 사이좋게 지내다 _____

B 빈칸에 알맞은 단어를 [보기]에서 골라 쓰시오. (필요시 형태를 고칠 것)

| 보기 | describe | insurance | stand for | scarce | fingerprint |

11 My family bought a life _____ policy last year.
우리 가족은 작년에 생명 보험에 들었다.

12 One of the glasses had your _____.
그 유리잔들 중 하나에 너의 지문들이 묻어 있었다.

13 Can you _____ the thief to the police?
도둑의 인상착의를 경찰에게 묘사할 수 있나요?

14 UFO _____ unidentified flying object.
UFO는 미확인 비행 물체를 의미한다.

15 Evidence is _____, so we can't arrest him.
증거가 부족해서 우리는 그를 체포할 수 없다.

C 설명하는 단어를 [보기]에서 골라 쓰시오.

| 보기 | childhood | wealthy | allowance | sauce | forecast |

16 to predict something _____
17 the time when a person is a child _____
18 a thick liquid served with food to add flavor _____
19 a fixed sum of money that you are given regularly _____
20 having a lot of money or possessions _____

Day 11 **55**

DAY 12

얼굴이 창백해 보이는데, 괜찮아?

Stomachache 때문에 오늘 percussion 수업을 못 갔어.

점심에 뭘 먹은 거야?

아주 매운 짬뽕 한 그릇...

MP3 파일을 들으면서 단어를 따라 읽어보세요.

---

166 percussion

[pəːrkʌ́ʃən]

명 타악기

He is a famous **percussion** player.
그는 유명한 [   ] 연주자이다.

---

167 storage

[stɔ́ːridʒ]

cold storage
냉장실

명 저장; 저장 공간 (= depository)

Is there enough **storage** space left for my bicycle?
내 자전거를 넣을 만한 충분한 [   ] 이 남아 있나요?

➕ store 동 저장하다 명 가게, 상점
storable 형 저장할 수 있는

강세주의

168 involve

[inválv]

in[in]+volve[roll]
안으로 말아 넣다 → 연루시키다

동 포함하다 (= include); 연루시키다 (= associate)

Be very careful because this investment **involves** a big risk.
이 투자는 큰 위험을 [   ] 각별히 주의하시오.

➕ involvement 명 관련, 연루

---

56 Part I 빈출 어휘로 내신 잡기

169 shortage
[ʃɔ́:rtidʒ]

명 부족 (= lack), 결핍

Water **shortage** is the biggest problem in Mongolia.
몽골에서는 물　　　　이 가장 큰 문제이다.

➕ short 형 짧은; 부족한
↔ abundance 명 풍부함; 과다

170 stomachache
[stʌ́məkèik]

stomach[stomach]+ache[pain]
배가 아픔 → 복통

명 복통

He could not go to work because of a **stomachache**.
그는　　　　때문에 일하러 갈 수 없었다.

➕ ache 동 아프다 명 아픔

171 assemble
[əsémbl]

명 모으다 (= gather, collect); 조립하다

She **assembled** a team of experts for the project.
그녀는 프로젝트를 위해 전문가 팀을　　　　.

➕ assembly 명 집회; 의회; 조립

172 rectangle
[réktæ̀ŋgl]

rect[four]+angle[angle]
네 개의 각 → 사각형

명 직사각형

In this chapter, you will learn how to draw a certain type of **rectangle**.
이 장에서는 특정한 형태의　　　　그리는 법을 배울 것이다.

➕ square 명 사각형

173 pile
[pail]

명 더미; 다수
동 쌓다 (= heap)

He has a **pile** of debts to repay.
그는 갚아야 할 빚이　　　　다.

174 principle
[prínsəpl]

prin[first]+cip[take]+le
처음을 차지하는 것 → 원칙

명 원리, 원칙 (= rule); 신념

She will never lie because it is against her **principles**.
그녀는 자신의　　　　에 반하는 것이기 때문에 절대로 거짓말을 하지 않는다.

Day 12

175 cattle
[kǽtl]

명 소 (= cow)

He moved his **cattle** to the ranch.
그는 목장으로 　　　　　를 몰았다.

---

176 detect
[ditékt]

de[off]+tect[cover]
뚜껑을 벗기다 → 발견하다

동 발견하다 (= discover), 감지하다; 수색하다

Radar **detected** a hostile aircraft.
레이더가 적군의 항공기를 　　　　　.

➕ detective 명 형사
　 detectable 형 발견할 수 있는

발음주의

177 autograph
[ɔ́:təgræf]

명 서명; 자필

Can I have your **autograph**?
　　　　　 좀 해주시겠어요?

➕ autographic 형 자필의

**178 open one's
heart**

마음을 터놓다

Open your **heart** and listen to her.
　　　　　 그녀의 말을 들어봐.

---

179 top ~ with …

~ 을 …으로 덮다

Mt. Everest is **topped with** permanent snow.
에베레스트 산은 만년설로 　　　　　.

---

180 be addicted to

~에 중독되다

These days teens **are addicted to** their cell phones.
요즈음 10대들은 휴대폰에 　　　　　 있다.

Get More　　'도형'을 나타내는 어휘

| triangle 명 삼각형 | pentagon 명 오각형 | octagon 명 팔각형 |
| rectangle 명 직사각형 | hexagon 명 육각형 | oval 명 타원형 |

✎ ANSWERS p. 277

A 영어는 우리말로, 우리말은 영어로 쓰시오.

1	cattle	_____	6	원리, 원칙, 신념	_____
2	shortage	_____	7	직사각형	_____
3	stomachache	_____	8	~을 …으로 덮다	_____
4	be addicted to	_____	9	더미, 다수, 쌓다	_____
5	open one's heart	_____	10	저장 공간, 저장	_____

Day
12

B 빈칸에 알맞은 단어를 [보기]에서 골라 쓰시오. (필요시 형태를 고칠 것)

보기	autograph	assemble	involve	detect	percussion

11 The tests are designed to _____ the disease early.
그 검사들은 질병을 조기에 발견하기 위해 고안된 것이다.

12 I started to play _____ instruments when I was 10.
나는 열 살 때부터 타악기를 연주하기 시작했다.

13 Please do not _____ her in this matter.
제발 이 일에 그녀를 끌어들이지 마세요.

14 The toy is quite difficult to _____.
그 장난감은 조립하기가 꽤 어렵다.

15 I wish I had a(n) _____ of that famous singer.
내게 저 유명한 가수의 사인이 있었으면 좋겠다.

C 관계있는 것끼리 서로 연결하시오.

16 autograph •   • ⓐ to gather or collect together

17 shortage •   • ⓑ a lack of something needed

18 assemble •   • ⓒ a general rule or standard

19 principle •   • ⓓ a pain in the stomach

20 stomachache •   • ⓔ someone's signature, especially a famous
                      person's

DAY 13

🔊 MP3 파일을 들으면서
단어를 따라 읽어보세요.

---

181 ☐☐ **awesome**
[ɔ́:səm]

휑 아주 멋진, 굉장한 (= impressive); 무시무시한

You look **awesome** in that suit.
그 옷을 입으니 네가 [____] 보인다.

강세주의

182 ☐☐ **extreme**
[ikstríːm]

extreme sports
극한 스포츠

휑 극도의 (= utmost); 과격한

We test our product under **extreme** conditions.
저희는 저희 제품을 [____] 환경 하에서 테스트합니다.

➕ extremely 児 극도로, 극히
↔ moderate 휑 알맞은, 적당한

---

183 ☐☐ **gradual**
[ɡrǽdʒuəl]

휑 점진적인 (= step-by-step)

The rise in emissions of greenhouse gases is causing a **gradual** change in the global climate.
온실가스 배출 증가가 지구의 [____] 기후 변화를 일으키고 있다.

➕ gradually 児 점진적으로

---

184 shuttle
[ʃʌtl]

명 정기 왕복 버스
동 오가다

This hotel provides a shuttle service to the airport.
이 호텔은 공항까지 ▢▢▢▢ 서비스를 제공한다.

space shuttle
우주왕복선

185 eco-friendly
[èːcofréndli]

형 환경친화적인

Solar power is an eco-friendly alternative to fossil fuel.
태양열은 화석 연료의 ▢▢▢▢ 대안이다.

186 publish
[pʌbliʃ]

동 출판하다, 발표하다

She published a new novel today.
그녀는 오늘 새로운 소설을 ▢▢▢▢.

➕ publication 명 출판, 발표
publisher 명 출판인, 출판사

187 define
[difáin]

동 정의하다

The meaning of the word is defined in this book.
그 단어의 뜻은 이 책에 ▢▢▢▢ 있다.

➕ definition 명 정의

188 entry
[éntri]

명 입장 (= entrance); 입구; 참가자; 등록

Everybody is waiting for her entry.
모든 사람들이 그녀의 ▢▢▢▢ 을 기다리고 있다.

➕ enter 동 들어가다; 참가하다
↔ exit 명 출구; 퇴장

강세주의

189 sincere
[sinsíər]

형 진실한, 진심의 (= genuine)

Please accept my sincere apology.
제발 저의 ▢▢▢▢ 사과를 받아주세요.

➕ sincerely 부 진정으로
↔ false 형 허위의, 가짜인

190 mixture
[míkstʃər]

몡 혼합물 (= blend), 혼합

You need a **mixture** of egg yolks and butter to make this bun.

이 빵을 만들기 위해서는 계란 노른자와 버터 ▨▨▨▨ 이 필요하다.

➕ mix 동 혼합하다, 섞다

191 chase
[tʃeis]

통 뒤쫓다, 추적하다 (= pursue)
명 추적

Cats are **chasing** a rat.

고양이들이 쥐 한 마리를 ▨▨▨▨ 있다.

192 soul
[soul]

명 영혼, 정신 (= spirit)

Soul is the essence of a human being.

▨▨▨▨ 은 인간의 본질이다.

↔ body 명 몸, 신체

soul mates
마음이 통하는 친구

193 be under arrest

체포되다

The robber **was under arrest** on the spot.

강도는 현장에서 ▨▨▨▨.

194 fall asleep

잠들다

He was so tired that he **fell asleep** in the theater.

그는 너무 피곤해서 극장에서 ▨▨▨▨.

195 be surprised at

~에 놀라다

I **was surprised at** your courage.

나는 당신의 용기에 ▨▨▨▨.

 Get More enter *vs*. entry

1 **enter** 통 들어가다
Knock before you **enter**.
들어오기 전에 노크하세요.

2 **entry** 명 입장, 입구
an **entry** visa
입국 비자

✐ ANSWERS p. 277

A 영어는 우리말로, 우리말은 영어로 쓰시오.

1	shuttle	_____	6	점진적인	_____
2	define	_____	7	입장, 입구, 참가자	_____
3	fall asleep	_____	8	영혼, 정신	_____
4	mixture	_____	9	~에 놀라다	_____
5	be under arrest	_____	10	아주 멋진, 굉장한	_____

Day 13

B 빈칸에 알맞은 단어를 [보기]에서 골라 쓰시오. (필요시 형태를 고칠 것)

| 보기 | sincere | chase | publish | extreme | gradual |

11 The global economy is showing signs of _____ recovery.
국제 경제가 점진적인 회복 조짐을 보이고 있다.

12 Why do the police _____ you?
왜 경찰이 너를 쫓는 거니?

13 I would like to express my _____ thanks.
진심 어린 감사를 드리고 싶습니다.

14 I'm planning to _____ a book next year.
나는 내년에 책 한 권을 출간할 계획이다.

15 Dealing with this problem calls for _____ care.
이 문제를 다루는 것은 극도의 주의를 필요로 한다.

C A : B = C : D의 관계가 되도록 빈칸에 알맞은 단어를 [보기]에서 골라 쓰시오.

| 보기 | gradual | chase | extreme | awesome | soul |

16 childhood : adulthood = moderate : _____

17 wealthy : poor = rapid : _____

18 detect : discover = pursue : _____

19 counsel : advise = impressive : _____

20 shortage : lack = spirit : _____

■)) MP3 파일을 들으면서
단어를 따라 읽어보세요.

---

196 **purchase**
[pə́:rtʃəs]

통 구입하다 (= buy); 획득하다
명 구입, 구매

After the presentation, they decided to
purchase our product.
프레젠테이션이 끝나고 그들은 우리 제품을 [＿＿＿＿] 결정했다.

⟷ sell 통 팔다

---

197 **reuse**
[ri:júz]

통 재사용하다 (= recycle)
명 재사용

You should **reuse** plastic bags to protect the
environment.
환경을 보호하기 위해 비닐봉지를 [＿＿＿＿] 해야 한다.

➕ reusable 형 재사용이 가능한

---

198 **lung**
[lʌŋ]

명 폐

He had to have half of his **lung** removed
because of cancer.
그는 암 때문에 [＿＿＿＿] 의 절반을 제거해야 했다.

---

199 shortcut
[ʃɔ́ːrtkʌ̀t]

명 지름길

Let's take a shortcut to save time.
시간을 절약하기 위해 ▨▨▨ 로 가자.

200 cultivate
[kʌ́ltəvèit]

통 경작하다 (= farm), 일구다

The slaves were forced to cultivate a remote wasteland.
노예들은 강제로 멀리 떨어진 황무지를 ▨▨▨ 했다.

발음주의

201 satellite
[sǽtəlàit]

명 인공위성

This navigation system uses satellite technology.
이 항법장치는 ▨▨▨ 기술을 이용한다.

202 detective
[ditéktiv]

명 형사, 탐정

She was the first woman to work as a police detective.
그녀는 ▨▨▨ 가 된 첫 번째 여성이었다.

✚ detect 동 감지하다; 수색하다
detectable 형 탐지할 수 있는

203 potential
[pouténʃəl]

명 가능성 (= possibility), 잠재력
형 잠재력이 있는, 가능성이 있는 (= possible)

My mission as a coach is to help people discover their potential.
감독으로서 나의 임무는 사람들이 그들의 ▨▨▨ 을 발견하는 것을 돕는 것이다.

204 sensitive
[sénsətiv]

형 민감한 (= subtle); 감수성이 예민한

She is very sensitive about her weight.
그녀는 몸무게에 관해 매우 ▨▨▨.

✚ sensible 형 분별 있는
↔ insensitive 형 무감각한

205 oxygen
[ɑ́ksidʒən]

oxygen tank
산소 탱크

몡 산소

Many living organisms need oxygen in order to live.
많은 살아 있는 유기체는 살기 위해 ▨▨▨ 가 필요하다.

---

206 tow
[tou]

통 잡아당기다 (= pull)
몡 견인차, 예인선

Can you send a tow truck right now?
당장 ▨▨▨ 좀 보내 주실 수 있나요?

발음주의

207 separate
형 [sépərət]
동 [sépərèit]

형 분리된; 별개의 (= individual)
통 분리하다 (= divide)

There are four separate religions in China.
중국에는 네 가지 ▨▨▨ 종교가 있다.

➕ separation 몡 분리

---

208 drop by

잠시 들르다 (= stop by)

Please feel free to drop by my place anytime.
언제든지 편하게 우리 집에 ▨▨▨.

---

209 hurry up

서두르다

There isn't much time. Hurry up!
시간이 별로 없어. ▨▨▨!

---

210 make great progress

상당한 진전을 이루다

The scientists made great progress in discovering a new medicine.
과학자들은 신약 개발에 ▨▨▨.

 Get More　separate의 다양한 뜻

1 형 별개의, 분리된
separate volumes
별책

2 통 헤어지다, 분리하다
They separated last year.
그들은 작년에 헤어졌다.

DAY **14** **W**rap-up **T**est

✎ ANSWERS p. 277

A 영어는 우리말로, 우리말은 영어로 쓰시오.

1 shortcut ＿＿＿＿＿＿
2 lung ＿＿＿＿＿＿
3 hurry up ＿＿＿＿＿＿
4 oxygen ＿＿＿＿＿＿
5 potential ＿＿＿＿＿＿

6 재사용, 재사용하다 ＿＿＿＿＿＿
7 인공위성 ＿＿＿＿＿＿
8 잠시 들르다 ＿＿＿＿＿＿
9 잡아당기다, 견인차 ＿＿＿＿＿＿
10 상당한 진전을 이루다 ＿＿＿＿＿＿

B 빈칸에 알맞은 단어를 [보기]에서 골라 쓰시오. (필요시 형태를 고칠 것)

| 보기 | purchase | sensitive | cultivate | detective | separate |

11 Children's skin is very ＿＿＿＿＿＿.
아이들의 피부는 매우 민감하다.

12 Our restaurant has a ＿＿＿＿＿＿ menu for children.
저희 식당에는 어린이를 위한 메뉴가 따로 있습니다.

13 The people tried to ＿＿＿＿＿＿ the wasteland.
그 사람들은 황무지를 경작하려고 노력했다.

14 Where can I ＿＿＿＿＿＿ tickets?
어디서 티켓을 구입할 수 있나요?

15 They hired a private ＿＿＿＿＿＿ to find their missing daughter.
그들은 잃어버린 딸을 찾기 위해 사설 탐정을 고용했다.

C 설명하는 단어를 [보기]에서 골라 쓰시오.

| 보기 | detective | sensitive | shortcut | cultivate | potential |

16 a quicker route than the usual route ＿＿＿＿＿＿
17 to prepare and use land for growing crops ＿＿＿＿＿＿
18 the possibility that something will develop ＿＿＿＿＿＿
19 easily upset or offended by things that people say ＿＿＿＿＿＿
20 a police officer whose job is to solve a crime by
gathering evidence ＿＿＿＿＿＿

DAY
15

여보, 뒷마당의 울타리를
수리해야 할 것 같아요.
너무 낡았다구요.

울타리를
수리하려면
log가 많이
필요하겠는 걸.

페인트도 다시
칠해야겠군.

창고에서
솔과 bucket도
챙겨야겠다.

🔊 MP3 파일을 들으면서
단어를 따라 읽어보세요.

---

211 bucket
[bʌ́kit]

명 양동이

This plastic **bucket** is light but strong.
이 플라스틱 ▧▧▧▧ 는 가볍지만 튼튼하다.

---

212 log
[lɔ(:)g]

log house
통나무 오두막집

명 통나무; 기록
동 베어내다; 일지를 쓰다

He built a **log** cabin in the woods.
그는 숲속에 ▧▧▧▧ 집을 지었다.

---

213 anniversary
[æ̀nəvə́ːrsəri]

anni[year]+versary[turn]
매년 돌아오는 것 → 기념일

명 기념일
형 해마다의 (= annual)

Tomorrow is my parents' 25th wedding
anniversary.
내일이 우리 부모님의 결혼 25주년 ▧▧▧▧ 이다.

---

214 sigh
[sai]

명 한숨, 탄식
동 한숨 쉬다, 한탄하다 (= lament)

We all breathed a sigh of relief after the contest.
대회 후에 우리 모두 안도의 　　　　 을 내쉬었다.

215 warmth
[wɔ:rmθ]

명 온기, 따뜻함

She felt the warmth of his breath.
그녀는 그의 숨결에서 　　　　 를 느꼈다.

➕ warm 형 따뜻한
↔ coldness 명 한기

216 usual
[júːʒuəl]

형 평상시의, 흔한 (= ordinary, regular)

She scored high points as usual.
그녀는 　　　　 처럼 높은 점수를 기록했다.

➕ usually 부 보통, 대개
　　 as usual 늘 그렇듯이, 평상시처럼

217 distract
[distrǽkt]

dis[away]+tract[drag]

다른 데로 주의를 끌다
→ 산만하게 하다

동 (마음·주의를) 흐트러뜨리다; 전환시키다 (= divert)

He always distracts me.
그는 언제나 나를 　　　　.

↔ focus 동 집중하게 하다

218 refresh
[rifréʃ]

동 새롭게 하다; 생기를 되찾게 하다

He refreshed his memory by looking at the pictures.
그는 사진을 보면서 기억을 　　　　.

➕ refreshment 명 원기 회복; 다과, 음료

219 nutrition
[njuːtríʃən]

명 영양소, 영양

Proper nutrition in childhood is very important.
유년기에 적절한 　　　　 은 매우 중요하다.

➕ nutritious 형 영양분이 있는
↔ malnutrition 명 영양실조

220 paragraph
[pǽrəgræf]

명 단락; 짧은 기사

The first paragraph sums up the whole story.
첫 ▨▨▨▨ 이 전체 이야기를 요약하고 있다.

editorial paragraph
짧은 사설

221 forth
[fɔːrθ]

부 앞으로; 밖으로; 이후

Move your head back and forth.
머리를 ▨▨▨▨ 뒤로 움직이시오.

↔ back 부 뒤로

강세주의

222 essential
[isénʃəl]

형 필수적인; 근본적인 (= fundamental)

It is essential that you trust your partner.
당신의 파트너를 믿는 것이 ▨▨▨▨ 이다.

✚ essence 명 본질, 정수

223 knock down

넘어뜨리다; (차가) ~을 치다

He was almost knocked down by a car.
그는 거의 차에 ▨▨▨▨ 뻔했다.

224 wait in hope

희망을 가지고 기다리다

His family was waiting in hope.
그의 가족들은 ▨▨▨▨ 있었다.

225 smile from ear to ear

함박웃음을 웃다

He was smiling from ear to ear because she had accepted his proposal.
그녀가 그의 청혼을 받아들였기 때문에 그는 ▨▨▨▨ 있었다.

Get More   log의 다양한 뜻

1 명 통나무
a log for the fire
장작으로 쓸 통나무

2 명 일지, 기록
Keep a daily log.
업무 일지를 작성해라.

✏ ANSWERS p. 278

A 영어는 우리말로, 우리말은 영어로 쓰시오.

1 paragraph _____
2 refresh _____
3 bucket _____
4 warmth _____
5 knock down _____

6 한숨, 탄식, 한숨 쉬다 _____
7 통나무, 기록, 베어내다 _____
8 앞으로, 밖으로, 이후 _____
9 희망을 가지고 기다리다 _____
10 함박웃음을 웃다 _____

B 빈칸에 알맞은 단어를 [보기]에서 골라 쓰시오. (필요시 형태를 고칠 것)

| 보기 | nutrition | essential | anniversary | distract | usual |

11 Today is the 60th _____ of my grandmother's birthday.
오늘은 우리 할머니의 환갑 기념일이다.

12 Don't _____ me while I'm working.
내가 일하고 있을 때 나를 산만하게 하지 마라.

13 Proper _____ is as important to health as exercise.
적절한 영양은 운동만큼이나 건강에 중요하다.

14 The boy made all the _____ excuses.
그 소년은 흔한 변명거리를 늘어놓았다.

15 It is _____ to gather them all together.
그들을 한 데 모으는 것이 필수적이다.

C 설명하는 단어를 [보기]에서 골라 쓰시오.

| 보기 | warmth | usual | log | sigh | refresh |

16 to give new energy and strength to someone _____
17 to breathe in and out making a long sound _____
18 happening, done or existing most of the time _____
19 the heat something produces, or when you feel warm _____
20 a thick piece of tree trunk or branch _____

DAY 11~15 Review Test

ANSWERS p. 278

다음 우리말에 맞게 빈칸에 주어진 철자로 시작하는 단어를 쓰시오.

DAY 11

1 매출액 예측   a sales f_____
2 입장료   an e_____ fee
3 화재 보험   fire i_____
4 간장   soy s_____
5 어린이 질병   c_____ illnesses
6 생활비   a living a_____

DAY 12

7 저장 탱크   a s_____ tank
8 기금 부족   a s_____ of funds
9 한 무리의 소   a herd of c_____
10 타악기 부문   a p_____ section
11 서명록   an a_____ album
12 위원회를 소집하다   a_____ the committee

DAY 13

13 친환경 상품   e_____ products
14 극한 스포츠   e_____ sports
15 굉장히 멋진 차   an a_____ car
16 화학 혼합물   a chemical m_____
17 왕복 열차   a s_____ train
18 점진적인 변화   a g_____ change

DAY 14

19 신차를 구매하다   p_____ a brand-new car
20 잠재 고객들   p_____ customers
21 폐암   l_____ cancer
22 산소 마스크   an o_____ mask
23 예민한 온도계   a s_____ thermometer
24 논밭을 경작하다   c_____ farmland

DAY 15

25 영양분 공급원   a source of n_____
26 도입 단락   an introductory p_____
27 장작불   a l_____ fire
28 깊은 한숨   a deep s_____
29 필수품   e_____ goods
30 결혼 기념일   a wedding a_____

Zoom In

be known to ~에게 알려지다	예 Her good deed **was known to** the villagers. 그녀의 선행이 동네 사람들에게 알려졌다.
be known as ~로 알려지다	예 He **is known as** a famous lyric poet. 그는 유명한 서정 시인으로 알려져 있다.
be filled with ~로 채워지다	예 This bottle **is filled with** the scent of roses. 이 병은 장미향으로 채워져 있다.
be satisfied with ~에 만족하다	예 I'm **satisfied with** the result. 나는 결과에 만족한다.
be composed of ~로 구성되다	예 The committee **is composed of** people who are over 60 years old. 위원회는 60세 이상 노인들로 구성되어 있다.
be frightened at ~에 공포를 느끼다	예 We **were frightened at** the sound. 우리는 그 소리에 공포를 느꼈다.
be surprised at ~에 놀라다	예 I **was surprised at** the final answer. 나는 최종 답변에 놀랐다.
be disappointed at ~에 실망하다	예 My mom **was disappointed at** my grade. 엄마는 내 성적에 실망하셨다.
be made from ~로 만들어지다(화학적 변화)	예 Tofu **is made from** soybeans. 두부는 콩으로 만들어진다.
be made of ~로 만들어지다(물리적 변화)	예 This wall **was made of** bricks. 이 벽은 벽돌로 만들어졌다.
be relieved of ~로부터 해방되다	예 We **was relieved of** a great anxiety after we solved the problem. 우리는 그 문제를 해결하고 나서 한 시름 놓았다.

DAY 16

너 어제 rural 생활을
다룬 TV프로그램 봤니?

응, detail한 면까지
설명해 주던걸?

◀) MP3 파일을 들으면서
단어를 따라 읽어보세요.

도시 생활에 exhausted된
사람들이 rural에서
살기를 바라는 것 같아.

나도 언젠가 고향으로
돌아가고 싶어.

226
□□
possession
[pəzéʃən]

명 소유; 재산 (= property)

He is a man with many possessions.
그는 많은   을 가진 사람이다.

➕ possess 동 소유하다
    possessive 형 소유욕이 강한; 소유의

227
□□
rural
[rúərəl]

형 시골의, 전원의

She is enjoying the rural life.
그녀는   생활을 즐긴다.

↔ urban 형 도시의

rural community
농촌

228
□□
frighten
[fráitn]

동 놀라게 하다 (= scare), 기겁하다

This movie frightens young children.
이 영화는 어린아이들을   .

➕ frightened 형 깜짝 놀란, 겁이 난

---

74   Part I 빈출 어휘로 내신 잡기

229 endless
[éndlis]

형 끝이 없는 (= infinite, unlimited)

Amy and Tim started an endless fight.
Amy와 Tim은 　　　　　 싸움을 시작했다.

➕ endlessly 분 끝없이, 계속적으로

230 rival
[ráivəl]

명 경쟁자, 적수
동 경쟁하다, ~과 맞먹다

Your rival can help you succeed.
당신의 　　　　　 가 당신을 성공하게 도울 수 있다.

발음주의

231 exhaust
[igzɔ́:st]

동 다 써버리다 (= use up); 기진맥진해지다

I have exhausted myself swimming.
나는 수영을 해서 　　　　　.

➕ exhausted 형 소모된, 지친

232 moreover
[mɔːróuvər]

부 게다가, 또한 (= besides, furthermore)

Moreover, I am tired enough now.
　　　　　 난 지금 꽤 피곤해요.

233 detail
명 [díːteil]
동 [ditéil]

명 세부 항목; 사소한 일
동 자세히 서술하다

Please tell me the detail right now.
지금 당장 내게 　　　　　 을 말해주세요.

발음주의

234 fossil
[fásəl]

명 화석
형 화석의, 화석이 된

Those are the fossils of dinosaurs.
저것들은 공룡의 　　　　　 이다.

fossil ivory
상아 화석

235 recover
[rikʌ́vər]

re[again]+cover[protect]
다시 덮다 → 회복하다

통 회복하다, 낫다 (= get well); 되찾다 (= get back)

She **recovered** from the disease eventually.
그녀는 마침내 병에서 ░░░░░░░░.

236 slam
[slæm]

slam–slammed–slammed

통 (문을) 탕 닫다; 털썩 내려놓다

His sister **slammed** the door when she ran to her room.
그의 여동생이 방으로 뛰어들어가며 문을 ░░░░░░░░.

237 boost
[buːst]

통 밀어 올리다; 후원하다
명 밀어 올림; 후원

People in the village are **boosting** the mayor.
그 마을 사람들은 시장을 ░░░░░░░░.

✚ booster 명 후원자; 촉진제

238 burst into tears
burst–burst–burst

울음을 터뜨리다

She **burst into tears** before saying good-bye.
그녀는 작별인사를 하기 전에 ░░░░░░░░.

239 pull up

끌어 올리다

We **pulled** the net **up** to catch fish.
우리는 물고기를 잡기 위해 그물을 ░░░░░░░░.

240 think on one's feet

순간적으로 판단하다

My teacher didn't hesitate and **thought on his feet.**
우리 선생님은 주저하지 않고 ░░░░░░░░.

Get More recover의 다양한 뜻

1 통 회복하다
China has **recovered** from the effects of the flood.
중국은 홍수 피해로부터 회복했다.

2 통 되찾다
The police **recovered** the stolen wallet.
경찰은 도난당한 지갑을 되찾았다.

✎ ANSWERS p. 278

A 영어는 우리말로, 우리말은 영어로 쓰시오.

1	rural	_____	6	놀라게 하다, 기겁하다 _____
2	pull up	_____	7	소유, 재산 _____
3	boost	_____	8	게다가, 또한 _____
4	rival	_____	9	회복하다, 낫다, 되찾다 _____
5	burst into tears	_____	10	순간적으로 판단하다 _____

B 빈칸에 알맞은 단어를 [보기]에서 골라 쓰시오. (필요시 형태를 고칠 것)

보기	detail	fossil	exhaust	endless	slam

11 Scheherazade told the king _____ stories every night.
세헤라자드는 밤마다 끝없는 이야기를 왕에게 들려주었다.

12 Could you show me the _____ of today's schedule?
오늘 일정의 세부 사항들을 제게 보여 주시겠어요?

13 He _____ the bag on the table.
그는 가방을 탁자 위에 털썩 내려놓았다.

14 You will see many _____ in the wall of rock.
암벽에 많은 화석이 보일 거예요.

15 I was very _____ because I played soccer all day long.
나는 하루 종일 축구를 해서 너무 지쳤다.

C 설명하는 단어를 [보기]에서 골라 쓰시오.

보기	possession	boost	rival	frighten	rural

16 to make somebody suddenly feel afraid _____

17 the act of giving hope or support to someone _____

18 far from the cities, or near the countryside _____

19 the state of having and owning property _____

20 a person or group that you compete with in sport
   or business _____

내 동생은 분명 커서 자린고비가 될 거야.

왜 그렇게 생각하니?

자기 과자를 먹으면 안 된다고 insist하잖아.

그 사실로 어떻게 그런 conclusion을 내릴 수 있니!

🔊 MP3 파일을 들으면서 단어를 따라 읽어보세요.

---

241 **worm**
[wəːrm]

📖 벌레

We can see many **worms** after the rain.
우리는 비가 온 뒤에 ▨▨▨▨▨▨▨을 많이 볼 수 있다.

---

242 **insist**
[insíst]

in[on]+sist[stand]
~위에 서다 → 주장하다

📖 주장하다, 우기다 (= maintain, proclaim); 강요하다

He **insisted** that we were completely wrong.
그는 우리가 완전히 틀렸다고 ▨▨▨▨▨▨▨.

➕ insistence 📖 고집, 주장

---

243 **ripe**
[raip]

ripe fruits
잘 익은 과일

📖 (곡식·과일이) 익은, 숙성된

James went to the supermarket to buy some **ripe** fruit.
James는 ▨▨▨▨▨▨ 과일을 사러 슈퍼마켓에 갔다.

➕ ripeness 📖 원숙, 성숙
↔ raw 📖 날것의

---

244 citizen
[sítəzən]

dual citizen
이중국적자

명 시민, 국민, 주민, 일반인

I am a citizen of the Republic of Korea.
나는 대한민국의 [   ] 이다.

➕ citizenship 명 시민권; 국적
↔ alien 명 외국인; 외계인

---

245 addict
동[ədíkt]
명[ǽdikt]

ad[to]+dict[call]
~로 불러들이다 → 중독되게 하다

동 ~에 빠지게 하다, 중독되게 하다
명 중독자; 열광하는 사람 (= fan, follower)

He has been addicted to the Internet for 3 years.
그가 인터넷에 [   ] 된 지 3년이 되었다.

➕ addiction 명 열중; 중독
addictive 형 중독성인; 습관적인

---

246 passion
[pǽʃən]

명 열정 (= enthusiasm); 울화

Try to have a great passion for your job.
당신의 직업에 큰 [   ] 을 가지도록 노력하시오.

➕ passionate 형 열정적인, 열렬한

강세주의

247 interpret
[intə́ːrprit]

동 통역하다; 해석하다, 이해하다

She is very good at interpreting English into Korean.
그녀는 영어를 한국어로 [   ] 을 아주 잘한다.

➕ interpretation 명 해석
↔ misinterpret 동 오역하다; 오해하다

---

248 tidy
[táidi]

형 단정한 (= neat); 꽤 많은

I noticed that Nicole always looks tidy.
나는 Nicole이 항상 [   ] 보인다는 것을 깨달았다.

➕ tidiness 명 단정함

---

249 drain
[drein]

blocked drain
막힌 하수구

동 배수하다
명 배수; 하수구 (= sewer)

Make a hole to drain the water away.
물을 [   ] 위해 구멍을 만들어라.

250 conclusion
[kənklúːʒən]

뗑 결말; 결론, 결정

The conclusion of the story was very sad.
이야기의   은 매우 슬펐다.

➕ conclude 동 결론짓다, 단정하다

발음주의

251 stationary
[stéiʃənèri]

뗑 움직이지 않는, 정지한; 주둔한

The temperature of the greenhouse was stationary.
비닐하우스의 온도는   .

---

252 onto
[ántu]

젠 ~의 위로

The lady stepped onto the platform.
그 여인은 플랫폼   올라섰다.

---

253 go with

~과 어울리다

That blue shirt goes well with all your pants.
그 파란 셔츠는 네가 가진 모든 바지와 잘   .

---

254 tie together

서로 묶다 (= bind)

Please tie both strings together.
두 개의 줄을   .

---

255 stand (in) line

줄을 서다

I stood in line to buy the new book.
나는 새로 나온 책을 사기 위해   .

Get More insist *vs.* resist

1 insist 동 주장하다, 강요하다
The teacher insist you to attend the class.
선생님은 네가 수업에 출석하기를 강요한다.

2 resist 동 ~에 저항하다
He resisted being alone.
그는 혼자 있어야 하는 것에 대해 반항했다.

80 Part I 빈출 어휘로 내신 잡기

DAY **17**   Wrap-up Test

📎 ANSWERS p. 278

A 영어는 우리말로, 우리말은 영어로 쓰시오.

1	conclusion	_____	6	열정, 울화	_____
2	interpret	_____	7	단정한, 꽤 많은	_____
3	insist	_____	8	배수하다, 배수구	_____
4	stand (in) line	_____	9	중독되게 하다, 중독자	_____
5	tie together	_____	10	~과 어울리다	_____

B 빈칸에 알맞은 단어를 [보기]에서 골라 쓰시오. (필요시 형태를 고칠 것)

보기	citizen	worm	tidy	passion	ripe

11 Let's get some _____ tomatoes instead of strawberries.
딸기 대신에 잘 익은 토마토를 사자.

12 I like your _____ room.
난 정돈된 네 방이 참 좋아.

13 Mr. Roland finally became a _____ of the Republic of Korea.
Roland 씨는 드디어 대한민국의 국민이 되었다.

14 Be careful not to step on the _____ on the ground.
땅에 있는 벌레들을 밟지 않도록 조심해라.

15 He has a _____ for cooking.
그는 요리에 대한 열정을 가지고 있다.

C 설명하는 단어를 [보기]에서 골라 쓰시오.

보기	interpret	drain	addict	conclusion	insist

16 to say firmly that something is true _____

17 to change words from one language into another _____

18 a pipe through which liquid is carried away _____

19 to become seriously dependent on something _____

20 an opinion formed after considering all the information _____

DAY 18

넌 어떤 클럽에 가입할거니?

나 댄스 클럽에 들어갈 생각이야. 너는?
얍~!

난 choir에 가입하려고~
아~♪

Expert에 의하면 노래를 부르는 것이 건강에도 좋다고 하더라.
같이들 하자~!

🔊 MP3 파일을 들으면서
단어를 따라 읽어보세요.

---

256 trap
[træp]

mousetrap
쥐덫

통 덫으로 잡다; 속이다
명 덫, 함정; 속임수

The mouse was trapped in a box with cheese.
쥐는 치즈가 있는 상자에 [   ].

---

257 make-up
[méikʌ̀p]

명 화장, 꾸밈

Actresses always put on heavy make-up.
여배우들은 항상 진한 [   ]을 한다.

---

258 detergent
[ditə́:rdʒənt]

명 세제
형 깨끗하게 하는

Put in a little detergent when you do the laundry.
빨래를 할 때 [   ]를 조금만 넣어라.

➕ detergency 명 세정력, 정화력

---

259 danger
[déindʒər]

Danger! Falling Rocks!
위험! 낙석주의!

명 위험 (= risk)

Don't put yourself in danger.
네 자신을 [ ] 에 빠뜨리지 마라.

➕ dangerous 형 위험한
↔ safety 명 안전

260 alter
[ɔ́:ltər]

동 바꾸다, 개조하다 (= change)

That house was altered into a store last month.
그 집은 지난달에 가게로 [ ].

➕ alteration 명 변화, 개조

261 incident
[ínsədənt]

in[on]+cid[fall]+ent
위에 떨어진 것 → 사건

명 사건 (= accident)
형 흔히 있는, 일어나기 쉬운

Those are just the common incidents of daily life.
그것들은 단지 일상생활에서 흔히 있는 [ ] 일 뿐이다.

262 variety
[vəráiəti]

명 종류; 변화, 다양성

This book covers a variety of topics.
이 책은 [ ] 주제를 다루고 있다.

➕ various 형 다양한

263 expert
[ékspə:rt]

명 전문가 (= specialist), 달인
형 숙달된 (= skillful), 전문가의

She is known as an expert in mathematics.
그녀는 수학 [ ] 로 알려져 있다.

➕ expertly 부 능숙하게, 노련하게
↔ amateur 명 아마추어

264 leftover
[léftòuvər]

명 남은 음식; 나머지
형 먹다 남은

These are the leftovers from my birthday party.
이것들은 내 생일 파티에서 나온 [ ] 이다.

Day **18**

265 choir
[kwáiər]

choir loft
합창단석

명 합창단, 성가대

The **choir** practice is every Monday.
░░░░ 연습은 매주 월요일에 있다.

---

266 fur
[fəːr]

명 부드러운 털, 모피
형 모피의

This **fur** coat is the most expensive one in this shop.
이 ░░░░ 코트는 이 가게에서 가장 비싼 것이다.

---

267 crisis
[kráisis]

명 위기, 중대한 단계

Korea has overcome the economic **crisis**.
한국은 경제 ░░░░ 를 극복했다.

---

268 sit up straight

똑바로 앉다

You should **sit up straight** and concentrate.
너는 ░░░░ 집중해야 한다.

---

269 keep track of

~의 흔적을 더듬다, ~을 계속 알고 있다

I always **keep track of** expenses.
나는 항상 지출을 ░░░░.

---

270 no longer

더 이상 ~ 않다 (= not ~ any longer)

I **no longer** wait for a reply from her.
나는 ░░░░ 그녀의 답장을 기다리지 않는다.

Get More   variety의 다양한 뜻

1 명 변화, 다양성
I want my life to be full of **variety**.
나는 내 삶이 변화로 가득하기를 바란다.

2 명 종류, 품종
We developed a new **variety** of rose.
우리는 새로운 종류의 장미를 키워냈다.

✎ ANSWERS p. 279

A 영어는 우리말로, 우리말은 영어로 쓰시오.

1	alter	_____	6	나머지, 남은 음식	_____
2	danger	_____	7	더 이상 ~ 않다	_____
3	incident	_____	8	변화, 다양성, 종류	_____
4	sit up straight	_____	9	덫으로 잡다, 함정	_____
5	make-up	_____	10	~의 흔적을 더듬다	_____

Day **18**

B 빈칸에 알맞은 단어를 [보기]에서 골라 쓰시오. (필요시 형태를 고칠 것)

보기	crisis	fur	choir	expert	detergent

11 There is a new _____ that is more efficient.
효과가 더 좋은 새로운 세제가 있다.

12 The _____ makes beautiful harmony.
합창단은 아름다운 화음을 만들어낸다.

13 She is a well-known _____ in this field.
그녀는 이 분야에서 유명한 전문가이다.

14 The white _____ is softer and longer.
흰색 털이 더 부드럽고 더 길다.

15 Sometimes a(n) _____ can be an opportunity.
때때로 위기는 기회가 될 수 있다.

C 관계있는 것끼리 선으로 연결하시오.

16 trap   •   • ⓐ to cause to change

17 danger •   • ⓑ the differences within a group

18 alter   •   • ⓒ a device for catching animals

19 incident •   • ⓓ an event that is unusual or unpleasant

20 variety •   • ⓔ the possibility of harm or death

■》 MP3 파일을 들으면서
단어를 따라 읽어보세요.

---

271 **windy**
[wíndi]

웹 바람이 센, 바람 부는

She arrived home on a **windy** day.
그녀는 〰〰〰〰 날 집에 도착했다.

➕ wind 몡 바람

---

272 **progress**
[prágres]

몡 전진, 진척; 경과

He showed no **progress** at all until now.
그는 여태까지 아무런 〰〰〰〰을 보이지 못했다.

➕ progressive 웹 진보적인
↔ regress 몡 후퇴, 역행

---

273 **religious**
[rilídʒəs]

웹 종교상의, 종교적인

That lady is a deeply **religious** person.
저 여인은 굉장히 〰〰〰〰 사람이다.

➕ religion 몡 종교

religious ceremony
종교 의식

---

274 servant
[sə́:rvənt]

명 고용인; 하인

The servant was true to his employer.
그   은 고용주에게 충실했다.

↔ master 명 주인

Day 19

강세주의

275 survey
명 [sə́rvei]
동 [sə:rvéi]

sur[over]+vey[see]
두루 살피다 → 조사하다

명 조사; 개관
동 조사하다, 검사하다 (= inspect, examine)

The survey needs to be done by this week.
       는 이번 주까지 마무리되어야 한다.

---

276 intellect
[íntəlèkt]

intel[among]+lect[choose]
여럿 중에서 고르는 능력 → 지력

명 지성, 이해력; 지식인

Mr. Smith is respected by many students because he has a keen intellect.
Smith 선생님은 영민한   을 가지고 있기 때문에 많은 학생들이 존경한다.

➕ intellectual 명 지식인 형 지적인

---

277 copyright
[kápiràit]

명 저작권, 판권

I own the copyright to this book.
이 책의   은 나에게 있다.

➕ copyrighter 명 저작권 소유자

---

278 fantasy
[fǽntəsi]

fan[show]+tasy
(없는 것을) 보이게 함 → 환상

명 상상, 환상

Alice in Wonderland is a novel about a fantasy world.
「이상한 나라의 앨리스」는   세계에 대한 소설이다.

---

279 orbit
[ɔ́:rbit]

명 궤도
동 궤도를 그리며 돌다

A satellite left its orbit two days ago.
이틀 전에 인공위성이   를 이탈했다.

orbit motion
공전 운동

280 debt
[det]

명 빚, 채무; 신세, 은혜

He asked me to repay my debt at once.
그가 나에게 당장 [_____]을 갚으라고 했다.

---

281 laboratory
[lǽbərətɔ̀ːri]

labor[work]+tory[place]
일하는 곳 → 실험실

명 실험실

The scientist was doing experiments in the laboratory.
과학자는 [_____]에서 실험을 하고 있었다.

---

282 profit
[práfit]

pro[forward]+fi(t)[make]
나아간 것 → 이익

명 이익 (= benefit)
동 이익을 얻다

The owner of the company made a large profit last year.
그 회사의 사장은 작년에 [_____]을 많이 남겼다.

➕ profitable 형 이익이 되는
↔ loss 명 손실

---

283 eat up

~을 먹어 없애다 (= eat away)

He ate up all the bagels in the refrigerator.
그는 냉장고 안의 모든 베이글을 [_____].

---

284 cannot afford to

~할 여유가 없다

She couldn't afford to move to a new place.
그녀는 새로운 곳으로 이사할 만한 [_____].

---

285 come one's way

(일이) 닥치다, ~의 수중에 떨어지다

I solved the problems that came my way.
나는 나에게 [_____] 그 문제를 해결했다.

Get More   intellect의 다양한 뜻

1 명 지성, 이해력
You estimated his intellect too low.
너는 그의 지성을 과소평가했다.

2 명 지식인
These people are the intellects of the ages.
이 사람들이 당대의 지식인들이다.

✎ ANSWERS p. 279

A 영어는 우리말로, 우리말은 영어로 쓰시오.

1	religious	_____	6	빛, 채무, 신세, 은혜 _____
2	fantasy	_____	7	저작권, 판권 _____
3	servant	_____	8	전진, 진척, 경과 _____
4	cannot afford to	_____	9	~을 먹어 없애다 _____
5	intellect	_____	10	(일이) ~수중에 떨어지다 _____

B 빈칸에 알맞은 단어를 [보기]에서 골라 쓰시오. (필요시 형태를 고칠 것)

보기	laboratory	profit	orbit	copyright	survey

11 Did you make a plan to do the _____?

설문조사에 대한 계획을 세웠니?

12 The _____ of the moon does not change.

달의 궤도는 변하지 않는다.

13 Let's find out how much _____ we have earned today.

오늘 벌이가 얼마나 되는지 알아보자.

14 The new _____ will be finished by next week.

다음 주까지 새로운 실험실이 완성될 것이다.

15 _____ is an important issue for authors.

저작권은 저자들에게 중요한 문제이다.

C 설명과 일치하는 단어를 골라 ✓표시를 하시오.

16 imagination far from reality   □orbit   □fantasy

17 the state of owning something   □debt   □profit

18 the ability to think and understand intelligently   □laboratory   □intellect

19 a person who is employed to do work for another person   □servant   □survey

20 the legal right to be the only seller of a literary, musical or artistic work   □copyright   □religious

병원에 입원한 내 친구가 피자가 먹고 싶다고 하는데, 어쩌지?

피자는 salty한 음식이라 몸에 안 좋을 거야. 대신 죽은 어때?

음, 죽이 더 몸에 좋을 것 같다.

죽은 digest도 잘 된다구!

MP3 파일을 들으면서 단어를 따라 읽어보세요.

---

286 comment
[kάmənt]

图 논평 (= opinion); 해설 (= explanation)
图 비평하다, 해설하다

Let's read the comment at the bottom.
아래에 있는 _____ 을 읽어보자.

➕ commenter 图 논평자

강세주의

287 efficient
[ifíʃənt]

ef[out]+fic(i)[do]+ent
효과가 드러나는 → 효과적인

图 효과적인 (= effective); 유능한 (= capable)

Try to use energy in efficient ways.
에너지를 _____ 방법으로 사용하도록 노력하시오.

➕ efficienlty 图 효율적으로
efficiency 图 효율(성)

---

288 spicy
[spáisi]

图 양념 맛이 강한; 짜릿한

This food is too spicy for me.
이 음식은 내게 너무 _____.

➕ spice 图 양념

spicy food
매운 음식

289 concept
[kánsept]

명 개념; 발상

I don't understand the concept of this advertisement.
난 이 광고의 〔　　　〕이 무엇인지 잘 모르겠다.

290 delay
[diléi]

de[away]+lay[leave]
멀리 떼어 놓다 → 미루다

동 미루다 (= postpone), 지체하게 하다
명 지연, 유예

The flight was delayed due to heavy snow.
비행기는 폭설로 〔　　　〕.

Day
20

291 digest
동[didʒést, daidʒést]
명[dáidʒest]

digestive medicine
소화제

동 소화하다; 잘 이해하다 (= comprehend)
명 소화; 요약 (= summary)

That pill will help you digest well.
그 알약이 네가 잘 〔　　　〕 도울 것이다.

➕ digestion 명 소화; 요약
　　digestive 형 소화의

292 pebble
[pébl]

명 조약돌, 자갈

Pebble Beach in California is very famous.
캘리포니아 주의 〔　　　〕 해변은 굉장히 유명하다.

➕ pebbly 형 자갈이 많은

293 overflow
동[òuvərflóu]
명[óuvərflòu]

동 넘치다 (= flow over), 범람시키다 (= flood)
명 범람, 과잉

This river once overflowed due to a typhoon.
이 강은 태풍 때문에 한 번 〔　　　〕.

294 admit
[ədmít]

admit-admitted-admitted

ad[to]+mit[send]
안으로 보내다 → 받아들이다

동 받아들이다 (= let in); 인정하다, 허락하다 (= allow)

We need to admit the situation is difficult.
우리는 지금 상황이 어렵다는 것을 〔　　　〕 한다.

➕ admission 명 입장, 입학; 인정

295 salty
[sɔ́:lti]

형 소금기 있는, 짠

Don't make the French fries too salty.
감자튀김을 너무 [   ] 만들지 마세요.

➕ salt 명 소금
↔ bland 형 (맛이) 자극적이지 않은

296 disturb
[distə́:rb]

동 방해하다 (= interrupt, bother); 혼란시키다

I am sorry to disturb you late at night.
늦은 밤에 [   ] 죄송합니다.

➕ disturbance 명 방해, 혼란

Do not disturb!
방해하지 마시오!

발음주의

297 chemistry
[kémistri]

명 화학; 화학 작용; 공감대

My favorite subject is chemistry.
내가 가장 좋아하는 과목은 [   ] 이다.

➕ chemist 명 화학자; 약사

298 pop out
pop–popped–popped

(눈이) 튀어나오다

I was so surprised that my eyes almost popped out.
나는 너무 놀라서 눈이 [   ] 뻔했다.

299 bring ~ into …

~을 …로 가져오다

Don't bring the ball into the classroom.
공을 교실로 [   ] 마라.

300 think ahead

앞서 생각하다

I had to think ahead before I started.
나는 시작하기에 [   ] 해야 한다.

Get More   admit의 다양한 뜻

1 동 수용할 수 있다
This theater admits 200 persons.
이 극장은 200명을 수용할 수 있다.

2 동 입장을 허락하다
This ticket admits one person.
이 표로 한 명이 입장할 수 있다.

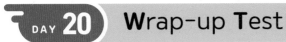

A 영어는 우리말로, 우리말은 영어로 쓰시오.

1 pebble   _____
2 chemistry   _____
3 comment   _____
4 pop out   _____
5 disturb   _____

6 양념 맛이 강한, 짜릿한   _____
7 효과적인, 유능한   _____
8 앞서 생각하다   _____
9 개념, 발상   _____
10 ~을 …로 가져오다   _____

Day
20

B 빈칸에 알맞은 단어를 [보기]에서 골라 쓰시오. (필요시 형태를 고칠 것)

보기	digest	delay	salty	overflow	admit

11 You must eat slowly so that you can _____ well.
소화를 잘 시키기 위해서 천천히 먹어야 한다.

12 _____ foods are not good for your health.
짠 음식은 건강에 좋지 않다.

13 If you did anything wrong, _____ your mistake.
네가 잘못한 것이 있다면, 실수를 인정해라.

14 The book club meeting has been _____ for one hour.
독서클럽 모임이 한 시간 연기되었다.

15 Watch out so the water won't _____.
물이 흘러넘치지 않게 잘 보고 있어라.

C 빈칸에 알맞은 단어를 괄호 안에서 골라 쓰시오.

16 I have added some _____ on your final paper.
(comments / concepts)

17 Please don't _____ your sister when she sleeps.
(digest / disturb)

18 Only put a little pepper not to make this soup too _____.
(spicy / salty)

19 Add _____ to decorate the aquarium. (pebbles / overflow)

20 To use electricity in _____ ways, use a fan instead of an air conditioner. (efficient / chemistry)

DAY 16~20 Review Test

✎ ANSWERS p. 279

다음 우리말에 맞게 빈칸에 주어진 철자로 시작하는 단어를 쓰시오.

DAY 16

1 발견되지 않은 화석들   undiscovered f_____s
2 병이 낫다   r_____ from an illness
3 세부 항목   a list of the d_____s
4 물질적 소유   material p_____s
5 끝없는 지원   e_____ support
6 경기를 부양하다   b_____ the economy

DAY 17

7 만족스러운 결론   a satisfying c_____
8 변하지 않는 온도   s_____ temperature
9 수영하러 간다고 고집하다   i_____ on going swimming
10 존경할 만한 열정   respectable p_____
11 배수하다   d_____ away water
12 단정한 외모   t_____ appearance

DAY 18

13 다양한 의견   a v_____ of opinions
14 금융 위기   a financial c_____
15 모피 코트   a f_____ coat
16 덫에 걸린 쥐   a mouse in a t_____
17 영리한 전문가   a bright e_____
18 물에 풀어 놓은 세제   dissolved d_____

DAY 19

19 달의 궤도   the moon's o_____
20 과학적인 진보   scientific p_____
21 정당한 이익   a reasonable p_____
22 바람 부는 아침   w_____ morning
23 복잡한 실험실   a complicated l_____
24 100달러의 빚   a d_____ of 100 dollars

DAY 20

25 회의를 미루다   d_____ a meeting
26 가장 효율적인 방법   the most e_____ way
27 학생을 받아들이다   a_____ a student
28 완전히 소화시키다   d_____ completely
29 도움이 되는 논평들   helpful c_____s
30 수업을 방해하다   d_____ the class

기억해야 할 조동사

cannot be
〜일 리가 없다

예 The person in the cave **cannot be** my brother, Thomas.
동굴 안에 있는 사람이 내 남동생 Thomas일 리가 없다.

cannot help -ing
〜하지 않을 수 없다

예 I **couldn't help laughing** at that scene.
나는 그 장면을 보고 웃지 않을 수 없었다.

may well
〜하는 것은 당연하다

예 She **may well** think he's an excellent cook.
그녀가 그가 뛰어난 요리사라고 생각하는 것은 당연하다.

may[might] as well
〜하는 것이 낫다

예 We **may[might]** as well leave now.
우리는 지금 떠나는 것이 낫겠다.

used to + 동사원형
〜하곤 했다

예 I **used to** go swimming every day last winter.
나는 지난 겨울에 매일 수영하러 가곤 했다.

be used to -ing
〜에 익숙하다

예 I **am used to singing** in public.
나는 사람들 앞에서 노래하는 것에 익숙하다.

had better
〜하는 편이 좋다

예 You'**d better** start now, or you won't finish in time.
지금 시작하는 게 좋아, 그렇지 않으면 제시간에 마치지 못할 거야.

would rather
(차라리) 〜하는 게 낫다

예 I'**d rather** stay in the pool.
나는 수영장 안에 있는 편이 더 낫겠다.

would like to
〜하고 싶다

예 I'**d like to** visit Busan during this holiday.
나는 이번 휴가때 부산에 구경하러 가고 싶다.

Would you mind -ing?
〜해주시겠어요?

예 **Would you mind turning** on the air conditioner?
에어컨을 켜주시겠어요?

DAY 21

나는 3번 후보가 가장 competitive한 후보라고 생각해.

왜 그렇게 생각하니?

그녀가 sustainable한 성장을 공약으로 내세웠거든.

공공 facilities의 증진 또한 그녀의 주된 공약이지.

improving public facilities

◀ MP3 파일을 들으면서 단어를 따라 읽어보세요.

---

301 liquid
[líkwid]

몡 액체 (= fluid)
혱 액체의; 투명한 (= clear)

I need liquid soap instead of a bar.
나는 고체 비누 대신   비누가 필요하다.

➕ solid 몡 고체 혱 고체의, 단단한
gas 몡 기체

강세주의

302 competitive
[kəmpétətiv]

혱 경쟁의, 경쟁적인

The spelling bee contest yesterday was very competitive.
어제 있었던 철자 맞추기 대회는 매우   .

➕ compete 동 경쟁하다
competition 몡 경쟁

---

303 intelligence
[intélədʒəns]

몡 지능, 이해력; 지성

I.Q. stands for intelligence quotient.
I.Q.는   지수를 나타낸다.

➕ intelligent 혱 똑똑한

---

304 pinch
[pinch]

통 꼬집다; 쥐어짜다 (= squeeze); 못살게 굴다

My sister always pinches me whenever
I take her clothes.
언니는 내가 언니 옷을 가져갈 때마다 나를 ▢▢▢▢▢.

305 facility
[fəsíləti]

명 시설, 설비 (= establishment, structure); 편의

People say the new facility is very nice.
사람들이 말하기를 새로 만든 ▢▢▢▢▢ 이 매우 괜찮다고 한다.

➕ facilitate ⑧ 용이하게 하다

public facilities
공공 시설

306 enable
[inéibl]

통 ~할 수 있게 하다

His family enabled him to win the marathon.
가족 덕분에 그는 마라톤에서 우승 ▢▢▢▢▢.

↔ disenable ⑧ 무능하게 하다

307 sustainable
[səstéinəbl]

sus[below]+tain[hold]+able[can]
떠받칠 수 있는 → 지탱할 수 있는

형 지속[유지]할 수 있는, 지탱할 수 있는

People are struggling to live sustainable
lifestyles.
사람들은 ▢▢▢▢▢ 생활 방식을 위해 고군분투하고 있다.

➕ sustain ⑧ 지탱하다, 견디다

308 shaky
[ʃéiki]

형 흔들리는, 비틀거리는

The media announced the current economy
is shaky.
언론은 현 경제가 ▢▢▢▢ 발표했다.

➕ shake ⑧ 흔들다, 흔들리다

309 expose
[ikspóuz]

통 드러내다, 노출시키다 (= uncover, reveal); 진열하다

Don't expose the plant to cold.
그 화초를 추위에 ▢▢▢▢ 마시오.

➕ exposure ⑨ 노출; 폭로
exposition ⑨ 설명; 박람회

310 expense
[ikspéns]

expense report
경비 보고서

몡 지출, 비용(= cost, charge, fee)

Let's find out the total **expense** of this trip.
이번 여행의 총   를 알아보자.

✚ expensive 혱 비싼

발음주의

311 fasten
[fǽsn]

통 묶다 (= attach, fix); 채우다, 잠그다 (= lock)

It is important to **fasten** your seat belt when you get in the car.
차에 타면 안전 벨트를   것이 중요하다.

↔ unfasten 통 풀다, 늦추다, 느슨해지다

---

312 obtain
[əbtéin]

ob[to]+tain[hold]
손에 쥐다 → 획득하다

통 얻다, 획득하다 (= get, acquire)

He **obtained** both wealth and honor from his success.
그는 성공으로 부와 명성을 모두   .

---

313 eat away

먹어 치우다 (= eat up)

The ants in the kitchen **ate** the bread **away**.
부엌에 있는 개미들이 빵을   .

---

314 put away

치우다

Please help me **put** this table **away**.
식탁   것 좀 도와주세요.

---

315 amount to

총계가 ~에 이르다 (= total to)

The total profit **amounts to** one million dollars this year.
올해 총 수익은 백만 달러에   .

 Get More   -tain: hold(꼭 쥐다)의 의미

1 sustain: sus[from below]+tain
아래에서 떠받쳐주다 → 지탱하다
The column is **sustaining** the building well.
기둥은 건물을 잘 지탱하고 있다.

2 maintain: main[hand]+tain
손 안에 쥐고 있다 → 유지하다
It is hard to **maintain** a clean classroom.
교실을 깨끗하게 유지하는 것이 힘들다.

DAY 21 Wrap-up Test

✎ ANSWERS p. 280

A 영어는 우리말로, 우리말은 영어로 쓰시오.

1 enable _____
2 put away _____
3 competitive _____
4 facility _____
5 amount to _____

6 지능, 이해력, 지성 _____
7 액체, 액체의, 투명한 _____
8 꼬집다, 못살게 굴다 _____
9 묶다, 잠그다, 채우다 _____
10 먹어 치우다 _____

B 빈칸에 알맞은 단어를 [보기]에서 골라 쓰시오. (필요시 형태를 고칠 것)

보기	expense	shaky	competitive	obtain	sustainable

11 How come this elevator is so _____, by the way?
   그런데 이 승강기가 왜 이렇게 흔들리지?

12 You need to visit the principal's office to _____ approval.
   허락을 받으려면 교장실에 가야 한다.

13 There is a way to make the building _____.
   건물을 유지할 수 있는 방법이 있다.

14 It is said that the baseball game would be very _____ today.
   오늘 야구 경기는 매우 경쟁이 치열할 것이라고 한다.

15 The estimated _____ is very large.
   추산된 경비는 상당히 많다.

C 설명하는 단어를 [보기]에서 골라 쓰시오.

보기	fasten	intelligence	facility	expose	enable

16 the ability to understand and learn well _____
17 to attach something tightly to another object _____
18 to show something that is usually hidden _____
19 a building or place that provides a particular service _____
20 to make it possible for someone to do something _____

DAY 22

지난달에 union에서 계획한 사항들이 모두 collapse되어 버렸어.

어째서?

임금 인상을 원하는 근로자들이 협상을 거부하고 demonstrate했기 때문이야.

임금인상

임금 인상

결국 어떠한 결과도 yield되지 못했어…

🔊 MP3 파일을 들으면서 단어를 따라 읽어보세요.

---

316 mince
[mins]

통 잘게 썰다, 다지다 (= hash)

The cook minced some onions and added them to the pot.
요리사는 양파를 [   ] 냄비 안에 넣었다.

---

317 union
[júːnjən]

명 결합, 연합 (= joining); 연방 (= league), 동맹

The union of two political parties was sensational.
두 정당의 [   ]은 세상을 떠들썩하게 한 것이었다.

EU
유럽 연합

➕ unionize 통 노동조합을 결성하다
   reunion 명 재결합
↔ disunion 명 분리; 불일치

---

318 comprehensive
[kàmprihénsiv]

형 이해력이 있는; 포괄적인

The president is admired by the people for his comprehensive plans.
대통령은 [   ] 계획으로 국민들의 존경을 받고 있다.

➕ comprehend 통 이해하다
   comprehensible 형 이해할 수 있는

---

319 poetry
[póuitri]

명 시, 운문; 시집

Rachel has been interested in writing poetry since she was young.

Rachel은 어렸을 때부터 　　　　　 쓰는 것에 관심이 있었다.

➕ poet 명 시인
　 poetic 형 시적인

320 collapse
[kəlǽps]

동 무너지다; 좌절되다 (= fall in), 결렬되다
명 붕괴; 좌절

Many buildings collapsed because of the earthquake.

많은 건물이 지진 때문에 　　　　　.

Day
22

321 yield
[ji:ld]

동 양보하다; 산출하다 (= produce)

Drivers must yield to pedestrians at crosswalks.

운전자들은 횡단보도에서 보행자들에게 　　　　　 한다.

322 reserve
[rizə́:rv]

re[back]+serve[keep]
뒤에 두다 → 남겨두다

동 남겨두다; 예약하다 (= book)

My little sister reserved a table.

내 여동생은 식당을 　　　　　.

➕ reservation 명 예약; 보류

323 washable
[wàʃəbl]

형 세탁할 수 있는

This doll is also good for babies because it is washable.

이 인형은 　　　　　 때문에 아기들에게도 괜찮다.

➕ wash 동 씻다

발음주의

324 delicate
[délikət]

형 섬세한 (= fine); 우아한; 정교한

The skater is famous for her delicate figure.

그 스케이트 선수는 　　　　　 자태로 유명하다.

➕ delicately 부 우아하게

delicate hand
섬섬옥수

325 demonstrate
[démənstrèit]

⑧ 논증하다 (= prove); 설명하다; 시위하다

The stewardess demonstrated how to put on a life jacket.
승무원이 구명조끼 착용법을 [   ].

➕ demonstration ⑲ 시위; 설명
demonstrable ⑲ 논증할 수 있는

326 eventual
[ivéntʃuəl]

⑱ 최후의 (= ultimate), 최종적인

The eventual outcome of the election was surprising.
[   ] 선거 결과는 놀라웠다.

➕ eventually ⑨ 결국

327 despite
[dispáit]

⑳ ~에도 불구하고 (= in spite of)

Despite the heavy snow, he insisted on driving to New York.
폭설에도 [   ], 그는 뉴욕까지 운전해서 가겠다고 고집했다.

328 put back

제자리에 다시 놓다

Please put the scissors back so that others could use them.
다른 사람들이 사용할 수 있도록 가위를 [   ].

329 be worth -ing

~할 만한 가치가 있다

It was worth paying attention to the speaker in the seminar yesterday.
어제 세미나에서 연설자에게 집중할 [   ].

330 make every effort

온갖 노력을 다 기울이다 (= do one's best)

She made every effort to make her dream come true.
그녀는 자신의 꿈을 이루려고 [   ].

Get More   yield의 다양한 뜻

1 ⑧ (작물 · 제품 등을) 산출하다
Sheep yield wool.
양에서 양모가 나온다.

2 ⑧ (영토 · 재산 등을) 양도하다
He yielded me his property.
그는 내게 그의 재산을 양도해 주었다.

DAY 22 Wrap-up Test

ANSWERS p. 280

A 영어는 우리말로, 우리말은 영어로 쓰시오.

1	demonstrate	_____	6 결합, 연합, 동맹, 연방	_____
2	put back	_____	7 ~할 만한 가치가 있다	_____
3	delicate	_____	8 무너지다, 좌절되다, 붕괴	_____
4	washable	_____	9 잘게 썰다, 다지다	_____
5	make every effort	_____	10 ~에도 불구하고	_____

B 빈칸에 알맞은 단어를 [보기]에서 골라 쓰시오. (필요시 형태를 고칠 것)

보기	eventual	yield	poetry	comprehensive	reserve

11 It's a popular restaurant. You have to _____ in advance.
그곳은 유명한 음식점이야. 너 미리 예약해야 해.

12 We offer our customers a(n) _____ range of financial products.
저희는 고객들에게 포괄적인 범위의 금융 상품을 제공합니다.

13 Jim was the _____ winner of the tournament.
Jim이 그 시합의 최종적인 우승자였다.

14 _____ is another genre that I am interested in.
시는 내가 관심 있는 또 다른 장르이다.

15 Grandfather _____ Mom his property before he passed away.
할아버지는 돌아가시기 전에 엄마에게 재산을 양도해 주셨다.

C 관계있는 것끼리 선으로 연결하시오.

16	mince	•	• ⓐ capable of being washed
17	washable	•	• ⓑ to fall down or fall suddenly
18	demonstrate	•	• ⓒ to cut food into very small pieces
19	collapse	•	• ⓓ easily broken, damaged or destroyed
20	delicate	•	• ⓔ to show or prove something clearly

Day 22 **103**

DAY 23

요새 사람들은 개인적인 이익만 pursue하는 것 같아.

Fortune을 많이 획득하는 것이 그들의 목표인 셈이지.

하지만, 재산을 charity에 기부하는 사람들도 있어.

맞아, 아직 살만한 세상이라고!

🔊 MP3 파일을 들으면서 단어를 따라 읽어보세요.

---

331 **unfamiliarity**
[ʌnfəmìliǽrəti]

⑲ 잘 모름, 익숙하지 않음, 생소함

People didn't buy the product because of its **unfamiliarity**.

사람들은 그 제품의   때문에 그것을 구입하지 않았다.

➕ unfamiliar ⑲ 익숙하지 않은
↔ familiarity ⑲ 익히 앎, 정통함

---

332 **absolute**
[ǽbsəlù:t]

⑱ 절대적인; 확고한; 완전한

There was **absolute** silence in the cathedral.

성당 안에는   고요함이 흘렀다.

➕ absolutely ⑨ 절대적으로
↔ relative ⑱ 상대적인; 관계있는

---

333 **pursue**
[pərsú:]

⑧ 쫓다, 추구하다; 종사하다

He is **pursuing** happiness.

그는 행복을   .

➕ pursuit ⑲ 추구, 추적

---

334 rank
[ræŋk]

명 계급 (= grade); 계층, 지위
동 순위를 차지하다

A black belt is the highest **rank** in taekwondo.
검정 띠는 태권도에서 가장 높은 [   ] 이다.

335 perspective
[pəːrspéktiv]

명 관점 (= viewpoint); 원근법; 조망 (= view)
형 원근법에 의한

Try to have a wider **perspective** when you look at something.
어떤 것을 관찰할 때는 더 넓은 [   ] 을 가지도록 노력하세요.

336 fortune
[fɔ́ːrtʃən]

명 부, 재산; 행운

fortune cookie
점괘가 든 과자

Mr. Jones believes the lottery is how he'll make his **fortune**.
Jones 씨는 복권이 [   ] 을 모으는 방법이라고 생각한다.

➕ fortunate 형 운이 좋은
  fortunately 부 다행히

발음주의

337 emphasize
[émfəsàiz]

em[in]+phas[show]+ize
~을 보이다 → 강조하다

동 강조하다, 역설하다

My teacher always **emphasizes** honesty.
우리 선생님은 항상 정직을 [   ].

➕ emphasis 명 강조

338 evident
[évidənt]

형 분명한, 명백한 (= obvious)

It is **evident** that the test would be difficult.
시험이 어려울 것이라는 것은 [   ].

➕ evidently 부 분명히
  evidence 명 증거, 흔적
↔ uncertain 형 애매모호한

339 charity
[tʃǽrəti]

명 자선 단체; 자선 (= donations); 자비심

The little girl gave her money to **charity**.
그 어린 소녀는 돈을 [   ] 에 기부했다.

Day 23 **105**

340 aggressive

[əgrésiv]

ag[toward]+gress[step]+ive
앞으로 발을 내디딘 → 공격적인

형 공격적인 (= offensive); 적극적인 (= active)

T-rex is very famous for its **aggressive** character.
티라노사우루스는 〔   〕 성향으로 매우 유명하다.

➕ aggression 명 침략
↔ defensive 형 방어적인

---

341 entire

[intáiər]

en[not]+ti[touch]+re
건드리지 않은 → 완전한

형 전체의 (= whole); 완전한, 흠이 없는 (= complete)

The **entire** room smells of flowers.
방안 〔   〕에서 꽃향기가 난다.

➕ entirely 부 완전히

---

342 import

동 [impɔ́ːrt]
명 [ímpɔːrt]

im[in]+port[carry]
안으로 들여오다 → 수입하다

동 수입하다
명 수입, 수입품

These goods are **imported** from Denmark.
이 제품들은 덴마크에서 〔   〕.

↔ export 동 수출하다 명 수출, 수출품

---

343 depend on

~에 달려 있다

The result of the contest today **depends on** you.
오늘 대회의 결과는 너에게 〔   〕.

---

344 bring ~ back to …

~을 …으로 되가져오다

My mom **brought** her car **back to** the supermarket.
우리 엄마는 슈퍼마켓으로 자동차를 〔   〕.

---

345 be known as

~으로 알려지다

J. S. Bach is well **known as** a composer.
J. S. Bach는 작곡가로 잘 〔   〕.

Get More　absolute의 다양한 뜻

1 형 절대적인
This is an **absolute** truth.
이것은 절대적인 진리이다.

2 형 완전한, 완벽한
He has **absolute** trust in Tom.
그는 Tom을 완전히 신뢰하고 있다.

DAY 23 Wrap-up Test

✎ ANSWERS p. 280

A 영어는 우리말로, 우리말은 영어로 쓰시오.

1	be known as	_____	6	부, 재산, 행운	_____
2	perspective	_____	7	잘 모름, 생소함	_____
3	emphasize	_____	8	분명한, 명백한	_____
4	absolute	_____	9	자선 단체, 자선, 자비심	_____
5	depend on	_____	10	~을 …으로 되가져오다	_____

B 빈칸에 알맞은 단어를 [보기]에서 골라 쓰시오. (필요시 형태를 고칠 것)

보기	pursue	rank	entire	aggressive	absolute

11 The swimmer _____ third in the world.
그 수영 선수는 세계 랭킹 3위이다.

12 In general, tigers tend to be more _____ than lions.
일반적으로 호랑이가 사자보다 더 공격적인 경향이 있다.

13 _____ happiness is made by oneself, not one's surroundings.
절대적인 행복은 환경이 아니라 자기 자신에 의해 만들어진다.

14 Nick spent his _____ life in Australia.
Nick은 그의 일생을 호주에서 보냈다.

15 _____ a dream is a great idea.
꿈을 추구한다는 것은 대단한 생각이다.

C 설명과 일치하는 단어를 골라 ✓표시를 하시오.

16 a particular way of viewing things ☐evident ☐perspective

17 a large amount of money or property ☐pursue ☐fortune

18 certain and not likely to change ☐absolute ☐aggressive

19 to stress or give special importance to something ☐entire ☐emphasize

20 a foundation created to promote the public good ☐rank ☐charity

꽃밭에 화학비료 대신 compost를 주었더니 더 잘 자라는것 같아.

어떤 식물들을 심었니?

백합, 장미, 그리고 선인장을 심었어.

선인장은 공기를 purify해주는 효과를 가지고 있지~

◀ MP3 파일을 들으면서 단어를 따라 읽어보세요.

---

346 convince
[kənvíns]

통 설득하다 (= persuade); 확신시키다

I **convinced** her to stay at home yesterday.
나는 어제 그녀를 집에 있도록 　　　　.

✚ convincing 형 설득력 있는

---

347 authority
[əθɔ́ːriti]

명 권위, 권한; 권위자; 당국

We have no **authority** to make decisions.
우리에게는 결정할 　　　　이 없다.

✚ authorize 통 권한을 부여하다

---

348 imaginative
[imǽdʒənətiv]

형 상상력이 풍부한, 창의적인

Little children have more **imaginative** minds than adults.
어린아이들은 어른들보다 더 　　　　생각을 가지고 있다.

✚ imagine 통 상상하다
　 imagination 명 상상
↔ unimaginative 형 상상력이 없는

---

349 string
[striŋ]

명 줄; (악기의) 현; 현악기
동 실에 꿰다

The handbag looks wonderful with a string of pearls.
진주 한 ▨▨▨ 때문에 그 가방이 아주 멋져 보인다.

350 brief
[briːf]

형 잠시의; 간단한

Please make your speech as brief as possible.
연설을 최대한 ▨▨▨ 해주세요.

➕ briefly 부 잠시, 간단히

brief bag
서류 가방

Day 24

발음주의

351 inaccurate
[inǽkjərit]

형 부정확한 (= inexact), 틀린

The information about the suspect was inaccurate.
용의자에 대한 정보가 ▨▨▨▨.

➕ inaccuracy 명 부정확함
↔ accurate 형 정확한

352 remarkable
[rimáːrkəbl]

형 주목할 만한, 뛰어난

Sam has shown remarkable growth.
Sam은 ▨▨▨ 성장을 보여주었다.

➕ remark 명 발언; 주목 동 언급하다

353 compost
[kámpoust]

명 퇴비; 혼합물
동 ~에 퇴비를 주다; ~으로 퇴비를 만들다

The gardener added compost to the trees last week.
지난주에 정원사가 나무에 ▨▨▨를 주었다.

354 purify
[pjúərəfài]

동 정화하다, 깨끗이 하다

You can purify your mind by doing yoga.
요가를 하면서 마음을 ▨▨▨ 수 있다.

➕ pure 형 순수한
purity 명 청결함

355 bunch
[bʌntʃ]

a bunch of keys
열쇠꾸러미

명 송이, 다발, 묶음 (= bundle)

I am going to get a bunch of bananas at the market.
나는 시장에서 바나나 한 [   ]를 살 거야.

➕ a bunch of 다수의 ~

강세주의

356 distinguish
[distíŋgwiʃ]

di[apart]+stingu[prick]+ish
바늘로 표시하여 분리시키다
→ 구별하다

동 구별하다 (= discern); 분류하다 (= classify)

Do you think you can distinguish the two?
당신은 이 두 개를 [   ] 수 있다고 생각합니까?

➕ distinguishable 형 구별할 수 있는

---

357 seek
[si:k]

seek–sought–sought

동 찾다 (= search for); 추구하다, 노력하다

Most scholars seek the truth in their studies.
대부분의 학자들은 그들의 연구에서 진리를 [   ].

---

358 get stuck in

~에 빠지다; 열중하다

Two rabbits got stuck in a hole in the forest.
토끼 두 마리가 숲에서 구멍에 [   ].

---

359 step into

~에 발을 들여놓다

My little sister stepped into the batter's box finally.
나의 여동생이 마침내 타석에 [   ].

---

360 fall off

(분리되어) 떨어지다

The dog was happy when the food fell off the table.
식탁에서 음식이 [   ] 때, 그 강아지는 기뻐했다.

Get More not을 의미하는 in-, im-, ir-

1 inactive
형 활동하지 않는

2 imbalance
명 불균형

3 irregular
형 불규칙한

✎ ANSWERS p. 280

A 영어는 우리말로, 우리말은 영어로 쓰시오.

1 brief _____
2 string _____
3 get stuck in _____
4 seek _____
5 imaginative _____

6 (분리되어) 떨어지다 _____
7 정화하다, 깨끗이 하다 _____
8 ~에 발을 들여놓다 _____
9 송이, 다발, 묶음 _____
10 확신시키다, 설득하다 _____

B 빈칸에 알맞은 단어를 [보기]에서 골라 쓰시오. (필요시 형태를 고칠 것)

| 보기 | authority distinguish inaccurate compost remarkable |

11 Be careful with _____ statistics when you write a paper.
논문을 쓸 때는 부정확한 통계 자료를 조심해야 한다.

12 _____ the kinds of dinosaurs is easier than you think.
공룡의 종류를 구분하는 것은 네가 생각하는 것보다 더 간단하다.

13 I learned how to _____ old food.
나는 오래된 음식물로 퇴비 만드는 법을 배웠다.

14 His achievement in science is _____.
과학 분야에서 그의 업적은 놀랄 만하다.

15 They have no _____ to solve the problem.
그들은 그 문제를 해결할 만한 권한을 가지고 있지 않다.

C 설명하는 단어를 [보기]에서 골라 쓰시오.

| 보기 | brief string convince seek imaginative |

16 of short duration or distance _____
17 containing new, brilliant and interesting ideas _____
18 to make someone agree or understand _____
19 to search for something, or try to find or get something _____
20 a strong thread made of several threads twisted together _____

DAY 25

내가 아끼는 비누를 누가 다 써버렸잖아!

미안, 사실 내가 썼어. Apologize할게.

에이, 괜찮아! 근데 미안하면 같은 비누로 하나 사다 주는 건 어떠니?

뭐라고…?!

🔊 MP3 파일을 들으면서 단어를 따라 읽어보세요.

---

361 **fundamental**
☐☐
[fʌ̀ndəméntl]

fund(a)[bottom]
+ment[condition]+al
바탕이 되는 → 기초의

형 기본적인, 기초의; 중요한 (= essential)
명 기본, 근본

You must learn the **fundamental** principles of math.
너는 수학의 ▨▨▨▨ 원리를 배워야 한다.

➕ fundamentally 부 근본적으로, 본질적으로

---

362 **assume**
☐☐
[əsjúːm]

동 ~이라고 짐작하다, 추정하다 (= suppose)

He **assumed** that the train was in an accident.
그는 기차에 사고가 났다고 ▨▨▨▨▨.

➕ assumption 명 가정, 억측
assumptive 형 가정의

강세주의

363 **apologize**
☐☐
[əpálədʒàiz]

동 사과하다; 변호하다 (= defend)

The manager **apologized** to us for the staff's mistake.
매니저는 직원의 실수에 대해 우리에게 ▨▨▨▨▨.

➕ apology 명 사과

---

364 decline
[dikláin]

명 감소, 하락; 퇴보
동 거절하다 (= refuse); 쇠퇴하다

There was a rapid decline in the number of customers this month.
이번 달 고객 수가 급격히 　　　　.

↔ accept 동 받아들이다

---

365 gap
[gæp]

명 격차; 갈라진 틈, 구멍 (= hole)

The generation gap is more serious than I thought.
세대 　　　　는 내가 생각했던 것보다 더 심각하다.

---

366 erosion
[iróuʒ*ə*n]

명 부식, 침식

There is trace of wind erosion around this area.
이 지역 주변에서 바람에 의한 　　　　의 흔적이 있다.

surface erosion
표면 침식

✚ erode 동 부식하다

---

367 elsewhere
[éls*h*wὲ*ə*r]

부 다른 곳에서; 다른 경우에

Her mind was elsewhere all day long.
그녀의 마음은 하루 종일 　　　　 있었다.

---

368 aware
[əwέ*ə*r]

형 알아차리고, ~을 알고 있는

Make your friends aware of your New Year's resolution.
친구들에게 네 새해 결심을 　　　　 해라.

✚ awareness 명 인식, 인지
↔ unaware 형 알지 못하는

---

369 analyze
[ǽnəlàiz]

ana[throughout]+ly(ze)[loosen]
완전히 풀어놓다 → 분석하다

동 분석하다, 분해하다

Analyze the code all this week and make a presentation.
이번 주에 모든 암호를 　　　　 하고 발표하시오.

✚ analysis 명 분석

370 imaginary
[imǽdʒənèri]

📖 상상의, 가공의 (= unreal)

Children often have their own imaginary friends to play with.
어린이들은 함께 놀 수 있는 그들만의 [   ] 친구가 있는 경우가 종종 있다.

↔ real 🔲 진짜의

371 hook
[huk]

📖 갈고리, 훅; 바늘
📕 호크로 잠그다

grass hook
풀 베는 낫

She helped me to hook the dress.
그녀는 내가 드레스를 [   ] 도와주었다.

372 secure
[sikjúər]

📖 안전한, 안정된; 튼튼한
📕 안전하게 하다

Make sure all doors and windows are secure.
모든 문과 창문이 [   ] 확인하시오.

✚ security 🔲 안전; 보증

373 wear off

사라지다

The fake tattoo will wear off in three days.
가짜 문신은 사흘이 지나면 [   ].

374 hunt for

~을 찾다 (= search for)

The dogs hunted for any evidence.
개들은 어떤 증거를 [   ].

375 have ~ back

되찾다, 돌려받다

Korea is trying hard to have the ancient document back from France.
한국은 프랑스로부터 그 고문서를 [   ] 위해 열심히 노력하고 있다.

Get More imaginary vs. imaginative

1 imaginary 🔲 상상의, 가공의
the imaginary world
상상의 세계

2 imaginative 🔲 상상력이 풍부한
She is imaginative.
그녀는 상상력이 풍부하다.

✎ ANSWERS p. 281

A 영어는 우리말로, 우리말은 영어로 쓰시오.

1	aware	_____	6	갈고리, 호크로 잠그다 _____
2	secure	_____	7	갈라진 틈, 구멍, 격차 _____
3	hunt for	_____	8	분석하다, 분해하다 _____
4	fundamental	_____	9	되찾다, 돌려받다 _____
5	wear off	_____	10	사과하다, 변호하다 _____

B 빈칸에 알맞은 단어를 [보기]에서 골라 쓰시오. (필요시 형태를 고칠 것)

보기	decline	elsewhere	erosion	imaginary	assume

11 You won't find this rare book _____.
너는 이 희귀 도서를 다른 어디에서도 찾을 수 없을 거야.

12 Unicorns are famous _____ animals in the West.
유니콘은 서양의 유명한 상상의 동물이다.

13 This kind of _____ is good evidence to assume flood.
이런 종류의 침식은 홍수가 났음을 짐작하기에 좋은 증거가 된다.

14 I _____ that the class will finish earlier today.
나는 오늘 수업이 일찍 끝날 것이라고 생각한다.

15 If you _____ this opportunity, you won't get another one.
네가 이 기회를 거절한다면, 네게 다른 기회는 없을 거야.

C 빈칸에 알맞은 단어를 괄호 안에서 골라 쓰시오.

16 You must _____ for your mistake as soon as possible.
(hook / apologize)

17 Make sure everything is _____ before you do a bunjee jump.
(secure / decline)

18 The generation _____ has always been a problem.
(gap / erosion)

19 This is the most _____ thing you need for the first-aid kit.
(imaginary / fundamental)

20 You need to be _____ of your physical limitation.
(aware / assume)

✎ ANSWERS p. 281

다음 우리말에 맞게 빈칸에 주어진 철자로 시작하는 단어를 쓰시오.

DAY 21

1 많은 비용으로   at large e_____
2 지탱할 수 있는 무게   s_____ weight
3 경쟁이 치열한 경기   a c_____ match
4 비상한 지능   extraordinary i_____
5 태양에 노출시키다   e_____ to the sun
6 떨리는 목소리로   in a s_____ voice

DAY 22

7 포괄적인 의미   c_____ meaning
8 학생 자치회   a student u_____
9 야채를 잘게 썰다   m_____ vegetables
10 세탁이 가능한 담요   a w_____ blanket
11 시에 대한 선호도   a preference for p_____
12 집으로 가는 길을 설명하다   d_____ the way home

DAY 23

13 가장 높은 순위   the highest r_____
14 중요성을 강조하다   e_____ the importance
15 편협한 관점   a narrow p_____
16 하루 종일   an e_____ day
17 기대하지 않았던 행운   unexpected f_____
18 명백한 힌트   an e_____ clue

DAY 24

19 밭에 퇴비를 주다   c_____ the field
20 꼬인 줄   a twisted s_____
21 부정확한 답   i_____ answers
22 최고의 권위   the highest a_____
23 주목할 만한 재능   a r_____ talent
24 포도 한 송이   a b_____ of grapes

DAY 25

25 대화의 공백   a g_____ in the conversation
26 가파른 감소   a sharp d_____
27 가상의 적   an i_____ enemy
28 늦어진 데 대해 사과하다   a _____ for the delay
29 토양 침식   soil e_____
30 본질적인 차이   a f_____ difference

비슷한 의미의 자동사와 타동사

arise-arose-arisen
(문제가) 일어나다; 기상하다

예 A terrible disaster has **arisen**.
끔찍한 재난이 발생했다.

arouse-aroused-aroused
불러일으키다

예 It **aroused** his curiosity.
그것이 그의 호기심을 불러일으켰다.

fall-fell-fallen
떨어지다

예 The snow is **falling** on the mountain.
산에 눈이 내리고 있다.

fell-felled-felled
쓰러뜨리다, 넘어뜨리다

예 The lumberjack **felled** the trees in the forest.
벌목꾼이 숲에서 나무를 베어 넘어뜨렸다.

lie-lay-laid
눕다

예 She **lay** down on the floor.
그녀는 바닥에 누웠다.

lay-laid-laid
놓다; 눕히다

예 We **laid** all the books on the table for everyone to see.
우리는 모든 사람들이 볼 수 있도록 책들을 책상 위에 놓았다.

rise-rose-risen
일어서다

예 People in the auditorium **rose** when the concert was over.
강당에 있던 사람들은 음악회가 끝나자 일어났다.

raise-raised-raised
일으키다; 기르다

예 He **raised** cattle in Nebraska when he was young.
그는 어릴 때 네브래스카에서 소를 길렀다.

sit-sat-sat
앉다

예 The baby **sat** on her mother's knee.
아기는 엄마의 무릎에 앉았다.

seat-seated-seated
앉히다

예 The staff **seated** us in the front.
직원은 우리를 앞쪽 자리에 앉혔다.

우리 형은 CSI 시리즈 보는 걸 굉장히 좋아해.

범죄에 대해 다룬 typical한 프로그램 말하는 거지?

🔊 MP3 파일을 들으면서
단어를 따라 읽어보세요.

그 프로그램에는 cruel한 장면들도 많이 나오던 걸?

어린 아이들에게 그런 프로그램을 보게 내버려 두면 안 될 것 같아.

---

376 **remark**

[rimá:rk]

동 언급하다
명 의견, 비평

He **remarked** that this winter would be mild.
그는 이번 겨울이 따뜻할 것이라고 ▯▯▯▯▯.

➕ remarkable 형 주목할 만한

---

377 **typical**

[típikəl]

형 전형적인; 상징하는

This is just a **typical** festival in June.
이것은 6월에 열리는 ▯▯▯▯▯ 축제일 뿐이다.

➕ type 명 유형, 종류
typically 부 일반적으로, 전형적으로

발음주의

378 **decade**

[dékeid]

명 10년

In the next **decade**, there would be a lot of change.
다음 ▯▯▯▯▯ 동안에 많은 변화가 있을 것이다.

➕ century 명 100년

---

379 □□ **reveal**
[rivíːl]

동 드러내다, 폭로하다 (= disclose); 나타내다

Alligators don't **reveal** their sharp teeth until they approach their prey.
악어들은 그들의 먹이에게 접근하기 전까지는 날카로운 이빨을 ▨▨▨▨ 않는다.

↔ conceal 동 감추다, 숨기다

---

380 □□ **laundry**
[láːndri]

명 세탁, 세탁물; 세탁장

Most mothers say doing **laundry** every day is very hard.
대부분의 어머니들이 매일 ▨▨▨▨ 을 하는 것은 매우 힘들다고 한다.

---

381 □□ **cruel**
[krúːəl]

형 잔혹한, 잔인한; 심한

Don't be **cruel** to animals.
동물들에게 ▨▨▨▨ 대하지 마라.

✚ cruelty 명 잔혹함

---

382 □□ **revolution**
[rèvəlúːʃən]

명 혁명, 개혁

Korea is leading the digital **revolution**.
한국이 디지털 ▨▨▨▨ 을 이끌고 있다.

✚ revolutionize 동 혁명을 일으키다

French Revolution
프랑스 혁명

---

383 □□ **talkative**
[tɔ́ːkətiv]

형 이야기하기 좋아하는, 수다스러운 (= chatty)

Your brother is the most **talkative** student in his class.
네 남동생은 반에서 ▨▨▨▨ 가장 학생이다.

↔ quiet 형 조용한

---

384 □□ **internal**
[intɔ́ːrnl]

형 내부의 (= inner, inside), 내면적인; 국내의

Finding **internal** peace is an important aim for some people who visit India.
인도를 방문하는 몇몇 사람들에게 ▨▨▨▨ 평안을 찾는 것이 중요한 목표이다.

↔ external 형 외부의

385 discussion
[dɪskʌ́ʃən]

명 토론 (= conversation, debate)

There are lots of discussions going on in most classes.
대부분의 수업에서는 많은   이 진행된다.

발음주의

386 accurate
[ǽkjurət]

ac[to]+cur[care]+ate
주의를 기울인 → 정확한

형 정확한 (= correct); 용의주도한 (= careful)

My uncle's watch is very accurate even though it is quite old.
우리 삼촌 시계는 꽤 낡았어도 굉장히   .

➕ accuracy 명 정확성

387 surgery
[sə́:rdʒəri]

명 수술; 외과

Some women think plastic surgery is a good way to change themselves.
일부 여성들은 성형   이 자신들을 변화시킬 수 있는 좋은 방법이라고 생각한다.

➕ surgeon 명 외과 의사

388 take shape

모양을 갖추다

The basis for the new business started to take shape.
새로운 사업의 기반이   시작했다.

389 slow down

속도를 늦추다

You need to slow down when you are entering an intersection.
교차로에 진입할 때는   한다.

390 run over

차로 치다 (= hit by car)

Last week, Randy's father ran over a rabbit near the park.
지난주에 Randy의 아버지가 공원 근처에서 토끼를   .

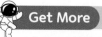

Get More   in- *vs.* ex-

1 **internal** 형 내부의
  interior 형 실내의 명 내부
  introvert 명 내향적인 사람

2 **external** 형 외부의
  exterior 형 실외의 명 외부
  extrovert 명 외향적인 사람

✎ ANSWERS p. 281

A 영어는 우리말로, 우리말은 영어로 쓰시오.

1	decade	_____	6	모양을 갖추다	_____
2	internal	_____	7	언급하다, 의견, 비평	_____
3	discussion	_____	8	세탁, 세탁물, 세탁장	_____
4	run over	_____	9	외과, 수술	_____
5	talkative	_____	10	속도를 늦추다	_____

B 빈칸에 알맞은 단어를 [보기]에서 골라 쓰시오. (필요시 형태를 고칠 것)

보기	accurate	reveal	typical	cruel	revolution

Day 26

11 I think you were too _____ to her yesterday.
내 생각에는 어제 네가 그녀에게 너무 심하게 했던 것 같다.

12 I am following the most _____ way not to make mistakes.
나는 실수하지 않기 위해 가장 전형적인 방법을 따르고 있다.

13 Sometimes you need to _____ what you intend.
때로는 네가 의도하는 것이 무엇인지 드러내야 한다.

14 Being _____ means to be thorough in all situations.
정확하다는 것은 모든 상황에서 철저해야 한다는 것이다.

15 Try to find the exact cause of the _____ in 1846.
1846년 혁명의 정확한 원인을 찾도록 노력해라.

C 관계있는 것끼리 선으로 연결하시오.

16 laundry •　　　• ⓐ something happening or located inside

17 internal •　　　• ⓑ talking a lot

18 surgery •　　　• ⓒ a medical treatment of injuries or diseases

19 talkative •　　　• ⓓ clothes that need to be washed

20 discussion •　　　• ⓔ the act of talking about something with other people

DAY 27

어제 informal 회의 이후에 밥을 먹으러 갔어.

와, 뭘 먹었니?

우리는 소고기를 roast했고, 삼겹살도 먹었어.

그런데 어떤 두 사람이 싸우기 시작하면서 분위기가 spoil되어버렸어.

🔊 MP3 파일을 들으면서 단어를 따라 읽어보세요.

---

391 steel
[sti:l]

명 철강

Korea has a lot of famous companies that deal with **steel**.

한국에는 ▩▩▩ 을 다루는 유명한 기업들이 많다.

---

392 roast
[roust]

동 굽다; 볶다

Would you like some **roasted** beef with mashed potatoes?

으깬 감자와 함께 ▩▩▩ 소고기 좀 드릴까요?

➕ roasted 형 구운

발음주의

393 poison
[pɔ́izən]

deadly poison
극약

명 독; 유독 물질
동 독을 넣다; 독살하다

Some snakes are very dangerous due to their **poisons**.

어떤 뱀은 ▩▩▩ 때문에 굉장히 위험하다.

➕ poisonous 형 유독한, 유해한

---

394 chapter
[tʃǽptər]

명 (책의) 장; 중요한 시기

I will finish chapter four by this evening.
나는 오늘 저녁까지 4   을 끝낼 거야.

---

395 spoil
[spɔil]

동 버릇없게 만들다; 망치다 (= damage)

If you are too nice to your children, you are likely to spoil them.
만약 당신이 아이에게 너무 잘해준다면, 당신은 아이를   쉽다.

➕ spoilage 명 손상, 변질

---

396 dull
[dʌl]

형 머리가 둔한 (= stupid); 무딘
동 둔하게 하다

He is too dull to realize the current situation.
그는 현재 상황을 파악하기에는 너무   .

↔ brilliant 형 총명한
   keen 형 날카로운

---

397 victim
[víktim]

명 희생자 (= prey); 희생, 제물

Few victims were found out after the war.
전쟁이 끝난 후에   가 거의 발견되지 않았다.

---

398 ban
[bæn]

ban–banned–banned

동 금지하다 (= prohibit, forbid)
명 금지

Entering the park is banned until next Tuesday.
다음 주 화요일까지 공원 입장이   있다.

↔ permit 동 허락하다

---

399 organ
[ɔ́ːrgən]

명 (악기) 오르간; 기관; 장기

The beautiful sound of the organ slowly filled the cathedral.
     의 아름다운 소리가 성당을 천천히 채워나갔다.

➕ organic 형 유기체의; 유기농의
   organize 동 조직하다, 설립하다

pipe organ
파이프 오르간

강세주의

400 □□ **informal** [infɔ́ːrməl]

형 비공식의; 형식을 따지지 않는 (= casual)

The party would be not announced since it is **informal**.

파티는 ______ 이므로 공지되지 않을 것이다.

+ informally 부 비공식으로
  informality 명 비공식

↔ formal 형 형식적인, 공식적인

401 □□ **impression** [impréʃən]

명 인상; 느낌

The first **impression** is important when you meet someone.

당신이 어떤 사람을 만날 때, 첫 ______ 이 중요하다.

+ impress 동 ~에게 인상을 주다

402 □□ **tend** [tend]

동 ~하는 경향이 있다; ~으로 향하다

Zebras in Africa **tend** to move in groups.

아프리카에 사는 얼룩말들은 무리를 지어 다니는 ______.

403 □□ **shout at**

~에게 소리치다

Ryan always **shouts at** his family when he is in a hurry.

Ryan은 급할 때 늘 가족들에게 ______.

404 □□ **escape from**

~으로부터 도망치다

A prisoner **escaped from** jail last week.

지난주에 어떤 죄수가 감옥에서 ______.

405 □□ **put across**

~을 이해시키다; 훌륭히 해내다

My teacher **puts across** her intentions to students effectively.

우리 선생님은 효과적인 방법으로 학생들에게 자신의 의도를 ______.

Get More succeed의 다양한 뜻

1 명 (악기) 오르간
organ music
오르간 음악

2 명 (인체 내의) 장기
an **organ** donor
장기 기증자

3 명 (공식적인) 기관
a government **organ**
정부 기관

Wrap-up Test

✎ ANSWERS p. 281

A 영어는 우리말로, 우리말은 영어로 쓰시오.

1	victim	_____	6	머리가 둔한, 무딘	_____
2	poison	_____	7	~을 이해시키다	_____
3	spoil	_____	8	굽다, 볶다	_____
4	escape from	_____	9	오르간, 기관, 장기	_____
5	tend	_____	10	장, 중요한 시기	_____

B 빈칸에 알맞은 단어를 [보기]에서 골라 쓰시오. (필요시 형태를 고칠 것)

보기	informal	roast	steel	impression	ban

11 _____ is an important material in shipbuilding.

철강은 조선의 중요한 재료이다.

12 The supermarket down the hill sells _____ beef.

언덕 아래에 있는 슈퍼마켓에서 구운 소고기를 판매한다.

13 Make a good _____ when you meet someone for the first time.

누군가를 처음 만났을 때 좋은 인상을 남기도록 해라.

14 Our school _____ cell phones in class.

우리 학교는 수업 시간에 휴대전화 쓰는 것을 금지한다.

15 Next week's interview will be a(n) _____ one.

다음 주의 면접은 비공식적인 것이 될 것이다.

C 빈칸에 알맞은 단어를 괄호 안에서 골라 쓰시오.

16 The _____ in this church is the oldest one in France.
(chapter / organ)

17 If we _____ the experiment, it is your fault.
(steel / spoil)

18 Because this mushroom has _____, you must not eat it.
(poison / impression)

19 I felt a(n) _____ ache at the back of my head.
(dull / informal)

20 Meat _____ to rot quickly.
(roasts / tends)

DAY 28

너 경주에 가본 적 있니?

응. 경주는 신라 Dynasty의 수도였던 곳이야.

가장 인상 깊었던 것은 뭐야?

안압지와 박물관에 있는 금으로 된 crown이 가장 멋지더라.

 MP3 파일을 들으면서 단어를 따라 읽어보세요.

---

406 dynasty
[dáinəsti]

명 왕조, 왕가; 명문

The Joseon **Dynasty** had many famous kings.

조선 　　　　　 에는 유명한 왕이 많았다.

---

407 fond
[fɑnd]

형 좋아하는; 다정한 (= tender)

My little sister is **fond** of going to the zoo these days.

내 여동생은 요즘 동물원에 가기를 　　　　　.

➕ fondly 🔈 다정하게
　 fondness 명 좋아함, 애정

---

408 crown
[kraun]

명 왕관; 왕위
동 왕위에 앉히다

The word "**crown**" can have the same meaning as "throne."

'　　　　　'이라는 단어는 '왕위'와 동일한 의미를 가질 수 있다.

↔ uncrown 동 ~의 왕위를 빼앗다

발음주의

409 **tedious**
[tíːdiəs]

형 지루한, 지겨운 (= tiring, boring)

The seminar became tedious after the break.

세미나는 휴식 시간 이후부터 ▨▨▨ 졌다.

↔ interested 형 흥미 있는

---

410 **wound**
[wuːnd]

명 상처, 부상 (= injury)

The wound was serious so they called an ambulance.

▨▨▨ 가 심했기 때문에 그들은 구급차를 불렀다.

---

411 **afterward**
[ǽftərwərd]

부 후에, 나중에 (= later)

Afterward, they lived happily ever after with three children.

▨▨▨, 그들은 세 자녀와 함께 쭉 행복하게 살았다.

---

412 **pace**
[peis]

명 걸음걸이, 한 걸음; 속도

She walked at a rapid pace along Downing Street.

그녀는 다우닝가를 따라 빠른 ▨▨▨ 로 걸었다.

pace bowler
속구 투수

---

413 **recovery**
[rikʌ́vəri]

명 회복; 되찾기

A full recovery won't be possible even if you exercise hard.

당신이 열심히 운동한다고 할지라도 완전한 ▨▨▨ 은 불가능할 것이다.

✚ recover 동 회복하다; 되찾다

강세주의

414 **assistance**
[əsístəns]

명 도움, 지원

Let us know if you need any assistance from our staff.

우리 직원의 ▨▨▨ 이 필요하면 알려주십시오.

✚ assist 동 거들다, 도와주다
assistant 명 조수, 보조원

Day **28**

415 permission
[pəːrmíʃən]

명 허가, 허락, 승인

A visa is a kind of a permission to enter a country.
비자는 한 국가로 입국할 수 있는 일종의 ▨▨▨▨ 이다.

➕ permit 통 허락하다

---

416 fiery
[fáiəri]

형 불의, 불 같은; 얼얼한

His fiery personality means he gets mad easily.
▨▨▨▨ 그의 성격은 그가 쉽게 화를 낸다는 뜻이다.

➕ fire 통 발사하다; 해고하다 명 불, 화재

---

417 hump
[hʌmp]

통 구부리다 (= hunch)
명 혹; 위기

The cat humped its back to scratch his head.
고양이가 머리를 긁기 위해 등을 ▨▨▨▨ .

➕ humpy 형 혹이 있는

---

418 adapt ~ to …

~을 …에 적응시키다

Jeremy tried hard to adapt himself to the new circumstances.
Jeremy는 자신을 새로운 환경에 ▨▨▨▨ 열심히 노력했다.

---

419 guard A against B

B로부터 A를 지키다 (= protect A from B)

The duty of the life guard is to guard people against accidents.
구조 요원의 임무는 사고로부터 사람들을 ▨▨▨▨ 것이다.

---

420 keep one's word

약속을 지키다

Nicole always keeps her word no matter what.
Nicole은 무슨 일이 있더라도 항상 ▨▨▨▨ .

Get More   recovery의 다양한 뜻

1 명 되찾기
Thank you for helping me with the **recovery** of my stolen ring.
도난당한 반지를 되찾도록 도와주셔서 감사합니다.

2 명 회복
She made a quick **recovery** after the surgery.
그녀는 수술 후에 빠르게 회복했다.

ANSWERS p. 282

A 영어는 우리말로, 우리말은 영어로 쓰시오.

1	afterward	_____	6	좋아하는, 다정한	_____
2	permission	_____	7	불의, 불 같은, 얼큰한	_____
3	adapt ~ to ···	_____	8	왕관, 왕위에 앉히다	_____
4	keep one's word	_____	9	왕조, 왕가, 명문	_____
5	pace	_____	10	B로부터 A를 지키다	_____

B 빈칸에 알맞은 단어를 [보기]에서 골라 쓰시오. (필요시 형태를 고칠 것)

보기	recovery	assistance	hump	permission	tedious

11 You may need _____ if you are doing it for the first time.
만약 네가 이것을 처음 해보는 것이라면 도움이 필요할지도 모른다.

12 I will tell my friends that the TV show was rather _____.
나는 내 친구들에게 텔레비전 쇼가 조금 지겨웠다고 말할 것이다.

13 You can go only if you have _____.
당신은 허가를 받았을 때만 갈 수 있습니다.

14 If you have a fast _____, I will take you to the trip.
네가 빨리 회복된다면, 너를 여행에 데려가겠다.

15 Camels are famous for their _____.
낙타는 혹이 있는 동물로 유명하다.

C 설명하는 단어를 [보기]에서 골라 쓰시오.

보기	pace	fond	crown	wound	afterward

16 a hurt or injury to the body _____

17 the speed at which someone or something moves _____

18 having feelings of affection for someone or something _____

19 after an event or time that has already been mentioned _____

20 a circle made of gold and decorated with jewels for kings and queens _____

Day 28

MP3 파일을 들으면서
단어를 따라 읽어보세요.

---

421 **aside**

[əsáid]

🔷 곁에; 떨어져서; 따로 두고

All I could do is to step aside and cheer him on.

내가 할 수 있는 것은 ▨▨▨▨ 서서 그를 응원하는 것 밖에 없다.

---

422 **finance**

[finǽns, fáinæns]

Department of Finance
재무부

🔷 재정; 자금; 재원

Be sure not to encounter any problems regarding finance.

▨▨▨▨ 에 관련된 문제가 생기지 않도록 주의하시오.

➕ financial ⓗ 재정적인

---

423 **ratio**

[réiʃou]

🔷 비(比), 비율

The ratios of the sculpture seems quite odd.

조각품의 ▨▨▨▨ 이 매우 이상해 보인다.

---

424 strip
[strip]

동 벗기다 (= peel); 벗다

Before you strip the paint, wash the fence.
칠을 [____] 전에, 담장을 닦으시오.

---

425 mummy
[mʌ́mi]

명 미라

Ancient Egyptians showed their hope for eternal life with mummies.
고대 이집트인들은 [____]를 통해 영생에 관한 바람을 나타냈다.

---

426 damp
[dæmp]

형 축축한, 습기 찬 (= moist)
명 습기, 수증기 (= vapor)
동 축축하게 하다

The land was too damp to cross on foot.
땅이 너무 [____] 걸어서 건너갈 수 없었다.

damp ground
습지

➕ dampen 동 축축하게 하다

---

427 continuous
[kəntínjuəs]

형 끊임없는, 연속적인

Thank you for your continuous support.
[____] 지원을 해주셔서 감사합니다.

➕ continue 동 계속하다
continuously 부 계속해서, 연속적으로

강세주의

428 celebrity
[səlébrəti]

명 유명인, 연예인 (= famous person); 명성 (= fame)

We asked the celebrity for his autograph.
우리는 그 [____]에게 사인을 부탁했다.

강세주의

429 acknowledge
[æknɑ́lidʒ]

동 인정하다 (= admit); 감사하다, 사례하다

It is crucial to acknowledge the damage and ask for forgiveness.
피해를 [____] 용서를 구하는 것이 중요하다.

430 **barber**
[bá:rbər]

명 이발사

The barber across the street is always busy.
길 건너편의 □□□□□ 는 늘 바쁘다.

---

431 **average**
[ǽvəridʒ]

형 평균적인 (= standard, usual)
명 평균
동 평균을 내다

The average group is always a good sample.
□□□□□ 집단은 언제나 좋은 표본이 된다.

↔ outstanding 형 뛰어난
   exceptional 형 특출한

---

432 **encounter**
[inkáuntər]

동 마주치다 (= meet by chance, run into), 부닥치다
명 마주침

When you encounter someone in the States,
you usually smile and say hi.
미국에서는 길을 가다가 어떤 사람을 □□□□□, 대체로 웃으며
인사한다.

---

433 **wear ~ out**

~을 완전히 지치게 하다

All the questions during the interview wore
her out.
인터뷰에서 있었던 모든 질문이 그녀를 □□□□□ .

---

434 **stop ~
from -ing**

~이 …을 못하게 하다 (= prevent ~ from -ing)

Thomas stopped his son from shaking his
legs.
Thomas는 그의 아들이 다리를 떨지 □□□□□ .

---

435 **get ready to**

~할 준비를 하다

Let's get ready to dive into the pool.
수영장에 뛰어들 □□□□□ 하자.

 Get More　　**acknowledge의 다양한 뜻**

1 동 인정하다
I acknowledge my fault.
제 잘못을 인정합니다.

2 동 감사하다
I acknowledge your favor.
당신의 호의에 감사드립니다.

✎ ANSWERS p. 282

A 영어는 우리말로, 우리말은 영어로 쓰시오.

1	ratio	_____	6	인정하다, 감사하다	_____
2	get ready to	_____	7	이발사	_____
3	mummy	_____	8	~이 …을 못하게 하다	_____
4	wear ~ out	_____	9	벗기다, 벗다	_____
5	celebrity	_____	10	곁에, 따로 두고	_____

B 빈칸에 알맞은 단어를 [보기]에서 골라 쓰시오. (필요시 형태를 고칠 것)

보기	finance	damp	encounter	average	continuous

11 Go and change out of your _____ clothes and socks.
가서 축축한 네 옷과 양말을 갈아입어라.

12 I was very glad to _____ my old teacher on the train today.
나는 오늘 기차에서 옛 은사님을 우연히 만나게 되어 무척 기뻤다.

13 The new CEO studied _____ at university.
새로 부임한 사장님은 대학에서 재무를 공부했다.

14 You need to keep up your grade _____ until the end of the year.
너는 올해 말까지 네 성적을 평균으로 유지해야 한다.

15 I hope the support would be _____.
나는 원조가 지속되기를 바란다.

C 설명하는 단어를 [보기]에서 골라 쓰시오.

보기	aside	acknowledge	strip	celebrity	barber

16 a very famous person _____

17 a person who cuts men's hair _____

18 to peel the skin of fruits _____

19 to accept the reality or truth of something _____

20 to one side, or next to someone or something _____

Day 29

DAY 30

정부에서 이번 프로젝트에 invest한다고 했대.

어떤 프로젝트를 말하는 거야?

"세일즈맨의 죽음 (Death of a salesman)"의 author인 아서 밀러(Arthur miller)를 기리기 위한 도서관 설립 프로젝트 말이야.

그의 작품들은 참 심오하단 말이지~

◀) MP3 파일을 들으면서 단어를 따라 읽어보세요.

---

436 **invest**
[invést]

통 투자하다; (시간·돈 등을) 쓰다

Are you planning to **invest** in this company?
이 회사에 [   ] 계획이 있습니까?

➕ investment 명 투자
investor 명 투자자

---

437 **author**
[ɔ́ːθər]

명 저자, 작가

The **author** was thrilled to go on a book tour.
[   ]는 책 소개 투어를 떠나게 되어 매우 기뻤다.

➕ authorial 형 저자의, 작가의

---

438 **worship**
[wɔ́ːrʃip]

통 예배하다; 숭배하다
명 예배; 숭배

Many Christians go to church to **worship**.
많은 기독교인들은 [   ] 위해 교회에 간다.

➕ worshiper 명 예배자

---

439 factor
[fǽktər]

명 요인, 원인

I have to find the most influential factor within 24 hours.
나는 24시간 내에 가장 영향력이 큰   을 찾아야 한다.

---

440 mass
[mæs]

mass media
대중매체

명 일반 대중; 덩어리 (= lump)

It is good that the mass is for the opinion.
      이 그 의견에 찬성해서 다행이다.

➕ massive 형 거대한, 육중한

강세주의

441 nevertheless
[nèvərðəlés]

부 그럼에도 불구하고 (= however, but, though)

She wants to volunteer, nevertheless, she is too busy.
그녀는 매우 바쁨에도   자원하기를 원한다.

---

442 thus
[ðʌs]

부 이와 같이, 그러므로 (= therefore, hence)

Thus, the gap between the two groups would not be narrowed.
      , 두 그룹 사이의 차이는 좁혀지지 않을 것이다.

---

443 aquarist
[əkwέərist]

aqua(r)[water]+ist[person]
물을 관리하는 사람 → 수족관 관리자

명 수족관 관리자

I saw a job posting for an aquarist on the aquarium homepage.
나는 수족관 홈페이지에서   를 구하는 채용 공고를 봤다.

➕ aqua 명 물, 수분
aquarium 명 수족관

발음주의

444 status
[stéitəs]

명 상태; 지위 (= rank, grade), 신분 (= position)

I set my status to "online" last night.
어젯밤 내   를 '온라인'으로 두었다.

445	**defeat** [difít]	통 쳐부수다 (= beat), 좌절시키다 명 패배, 좌절

The army marched all the way to the enemy to **defeat** them.
군대는 적군을 [   ] 위해 적군을 향해 내내 행진했다.

446	**arid** [ǽrid]	형 건조한 (= dry); 빈약한

This land is too **arid** to plant crops.
이 땅은 농작물을 심기에는 너무 [   ].

➕ aridly 🄬 건조하게

arid desert
건조한 사막

447	**leather** [léðər]	명 가죽, 가죽 제품 통 무두질하다

This wallet is made of fine **leather** from Italy.
이 지갑은 이탈리아 산(産) 고급 [   ] 으로 만들어졌다.

448	**play a part**	역할을 하다 (= play a role)

He is **playing an** important **part** in the film.
그는 그 영화에서 매우 중요한 [   ].

449	**think big**	적극적으로 생각하다

We need to **think big** to make our dream come true.
우리는 꿈을 실현하기 위해 [   ].

450	**make an appointment with**	~와 약속을 하다

I **made an appointment with** my doctor for next week.
나는 다음 주에 내 주치의와 [   ].

 Get More   status의 다양한 뜻

1 명 신분
Discrimination comes from putting different weight on **status**.
차별은 신분에 따라 다른 비중을 두는 데서 온다.

2 명 상태
Please check your shipping **status** at our homepage.
저희 홈페이지에서 배송 상태를 확인해 주세요.

✎ ANSWERS p. 282

A 영어는 우리말로, 우리말은 영어로 쓰시오.

1	leather	_____	6	이와 같이, 그러므로 _____
2	nevertheless	_____	7	쳐부수다, 좌절시키다 _____
3	play a part	_____	8	저자, 작가 _____
4	worship	_____	9	상태, 신분, 지위 _____
5	think big	_____	10	~와 약속을 하다 _____

B 빈칸에 알맞은 단어를 [보기]에서 골라 쓰시오. (필요시 형태를 고칠 것)

보기	aquarist	factor	mass	arid	invest

11 _____ media has the power to control people's minds.
대중매체는 사람들의 생각을 통제할 수 있는 힘을 가졌다.

12 If you want to become a(n) _____, you need to study fish.
네가 수족관 관리자가 되고 싶다면, 어류에 관해 공부해야 한다.

13 You should water the field so it won't be _____.
밭에 물을 주어서 메마르지 않게 해야 한다.

14 If you have money, _____ it for the future.
만약 당신에게 돈이 있다면, 미래를 위해 투자하시오.

15 The principal _____ behind success is sincerity.
성공의 주된 요인은 성실함이다.

Day **30**

C 설명과 일치하는 단어를 골라 ✓표시를 하시오.

16	a position or condition of a person	☐status	☐arid
17	to win a victory over someone or something	☐defeat	☐invest
18	animal skin used for making shoes or bags	☐factor	☐leather
19	the meaning of "in conclusion" or "therefore"	☐mass	☐thus
20	a person who writes books or articles professionally	☐author	☐aquarist

DAY 26~30 Review Test

ANSWERS p. 282

다음 우리말에 맞게 빈칸에 주어진 철자로 시작하는 단어를 쓰시오.

DAY 26

1	무혈 혁명	a bloodless r_____
2	진실을 드러내다	r_____ the truth
3	정확한 계산	an a_____ calculation
4	복잡한 수술	complicated s_____
5	잔인한 행동	c_____ actions
6	심각한 토론	a serious d_____

DAY 27

7	치명적인 독	a deadly p_____
8	수많은 희생자들	countless v_____s
9	비공식적인 회의	an i_____ meeting
10	좋은 인상	a good i_____
11	계획을 망치다	s_____ the plan
12	(책의) 마지막 장	the last c_____

DAY 28

13	존경할 만한 왕가	an admirable d_____
14	지겨운 연설	a t_____ speech
15	고마운 도움	grateful a_____
16	불 같은 성격	a f_____ temper
17	깊은 상처	a deep w_____
18	빠른 회복	a quick r_____

DAY 29

19	효율적인 재정	efficient f_____
20	끊임없는 요청들	c_____ requests
21	고대의 미라	an ancient m_____
22	친구와 마주치다	e_____ a friend
23	황금 비율	the golden r_____
24	솜씨 좋은 이발사	a skilled b_____

DAY 30

25	내가 가장 좋아하는 작가	my favorite a_____
26	적군을 쳐부수다	d_____ an enemy
27	가장 부드러운 가죽	the softest l_____
28	돈을 투자하다	i_____ money
29	유명 인사를 숭배하다	w_____ a celebrity
30	정치적인 요인들	political f_____s

PART II

필수 어휘로
내신 다지기

Day 31~50

◀)) MP3 파일을 들으면서
단어를 따라 읽어보세요.

451
conduct

(명)[kándʌkt]
(동)[kəndʌkt]

con[together]+duc(t)[lead]
함께 이끌다 → 수행하다

(명) 행동 (= behavior)
(동) 수행하다; 지휘하다

He was scolded by his teacher for his bad conduct.

그는 나쁜 ▢▢▢▢ 때문에 선생님께 꾸중을 들었다.

➕ conductor (명) 지휘자

452
elderly

[éldərli]

elderly couple
노부부

(형) 나이가 지긋한 (= old, aged)

My mom is very busy caring for elderly people who live alone.

엄마는 혼자 사시는 ▢▢▢▢ 분들을 보살피느라 매우 바쁘시다.

↔ young (형) 젊은

발음주의

453
prior

[práiər]

(형) (시간·순서가) 이전의 (= earlier), 앞의

I have a prior dinner engagement on Sunday.

저는 일요일에 ▢▢▢▢ 저녁 식사 약속이 있습니다.

➕ priority (명) 우선사항, 우선권
↔ posterior (형) (시간·순서가) 뒤에 오는

---

454 platform
[plǽtfɔ:rm]

plat[flat]+form[form]
평평한 형태 → 연단

명 단, 연단(= stage); (역의) 플랫폼, 승강장

There is a viewing platform where visitors can see the waterfalls.
방문객들이 폭포를 볼 수 있는 전망 ▨▨▨▨가 있다.

---

455 construct
[kənstrʌ́kt]

동 건설하다 (= build)

The tunnel was constructed in 1992.
그 터널은 1992년에 ▨▨▨▨.

➕ construction 명 건설, 공사
↔ destroy 동 파괴하다

---

456 stormy
[stɔ́:rmi]

형 폭풍우의, 폭풍우가 몰아치는

The sky was starting to look stormy.
하늘이 ▨▨▨▨ 같아 보이기 시작하고 있었다.

➕ storm 명 폭풍, 폭풍우

---

457 adult
[ədʌ́lt, ǽdʌlt]

명 성인, 어른 (= grown-up)
형 성인의; 성숙한 (= mature)

Tickets are $9 for adults and $5 for children.
표는 ▨▨▨▨은 9달러이고 아동은 5달러입니다.

➕ adulthood 명 성년

---

458 version
[vɔ́:rʒən]

vers[turn]+tion
방향을 돌림 → 번역

명 번역 (= translation), 번역문; 판

I tried to read an English version of Tolstoy's work.
나는 영어 ▨▨▨▨으로 된 톨스토이의 작품을 읽으려고 노력했다.

---

459 occupy
[ɑ́kjupài]

occupy–occupied–occupied

동 차지하다; 종사하다; 거주하다 (= live in, inhabit)

Picasso's pictures occupied almost the whole wall.
피카소의 그림들이 거의 벽 전체를 ▨▨▨▨.

460 condiment
[kándəmənt]

명 조미료, 양념 (= seasoning)

Mix the meat with the onions, carrots and some condiments.
고기를 양파, 당근 그리고 약간의 ▢▢▢▢ 와 섞으시오.

---

461 vertical
[və́:rtikəl]

형 수직의 (= upright), 세로의

The cliff was almost vertical.
그 절벽은 거의 ▢▢▢▢ 이었다.

↔ horizontal 형 수평의, 가로의

---

462 ceramic
[sərǽmik]

형 질그릇의, 도자기의
명 도자기

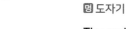

The walls are covered with square ceramic tiles.
벽은 네모난 ▢▢▢▢ 타일로 덮여 있다.

ceramic product
도자기

---

463 think of A as B

A를 B라고 생각하다

Peter thinks of golf as a waste of time and energy.
Peter는 골프를 시간과 정력 낭비라고 ▢▢▢▢.

---

464 make a comment

평을 하다

She made no comment on the suggestion.
그녀는 그 제안에 대해 어떤 ▢▢▢▢ 않았다.

---

465 be able to

~할 수 있다 (= can)

Are you able to come on my birthday party?
너는 내 생일파티에 올 ▢▢▢▢ ?

Get More platform의 다양한 뜻

1 명 단, 연단
go up the **platform** 연단에 오르다

2 명 (기차역의) 플랫폼, 승강장
an arrival **platform** 도착 플랫폼

✏ ANSWERS p. 283

A 영어는 우리말로, 우리말은 영어로 쓰시오.

1	occupy	_____	6	수직의, 세로의	_____
2	be able to	_____	7	A를 B라고 생각하다	_____
3	elderly	_____	8	(시간, 순서가) 이전의	_____
4	make a comment	_____	9	번역, 번역문, 판	_____
5	conduct	_____	10	질그릇의, 도자기	_____

B 빈칸에 알맞은 단어를 [보기]에서 골라 쓰시오. (필요시 형태를 고칠 것)

보기	construct	stormy	adult	platform	condiment

11 He stepped up to the _____ to make a speech.

그는 연설하기 위해서 연단에 올라섰다.

12 _____, like mustard and soy sauce, add flavor to food.

겨자나 간장 같은 조미료들은 음식에 맛을 더해준다.

13 There is plan to _____ a new road bridge across the river.

강에 새로운 도로용 다리를 건설할 계획이 있다.

14 It has been _____ for the last three days.

지난 사흘 동안 계속 폭풍우가 쳤다.

15 This program is designed for a(n) _____ learner.

이 프로그램은 성인 학습자를 위해 만들어졌다.

C 설명하는 단어를 [보기]에서 골라 쓰시오.

보기	conduct	ceramic	vertical	occupy	prior

16 to take or fill up space, time, etc. _____

17 behavior in a particular place or situation _____

18 happening, existing or done before a particular time _____

19 the object made from clay at a very high temperature so that it has become hard _____

20 pointing up in a line that forms an angle of 90° with a flat surface _____

DAY 32

혹시 이곳 resident이신가요?

네, 왜 그러세요?

바닷가로 inward된 도로가 있다던데, 어디로 가야 하죠?

아, 이쪽으로 쭉 가시면 되요.

🔊 MP3 파일을 들으면서 단어를 따라 읽어보세요.

---

466 agriculture

[ǽgrikʌ̀ltʃər]

명 농업, 농사 (= farming)

Her farm is well-suited for **agriculture**.
그녀의 농장은 [   ] 에 아주 적합하다.

➕ agricultural 형 농업의

---

467 resident

[rézidənt]

private residence
개인 주택

명 거주자 (= inhabitant), 주민
형 거주하는

They are both **residents** of New York.
그들은 둘 다 뉴욕 [   ] 이다.

➕ reside 동 살다, 거주하다
    residence 명 거주; 거주지

---

468 adapt

[ədǽpt]

ad[to]+apt[fit]
적합하게 하다 → 개조하다

동 조정하다; 적응하다 (= adjust); 각색하다

She has had to **adapt** quickly to college life.
그녀는 대학 생활에 빨리 [   ] 했다.

➕ adaptable 형 적응할 수 있는
    adaptation 명 적응; 각색

---

469 **generate**
[dʒénərèit]

gener[birth]+ate[make]
낳다 → 만들어내다

동 발생시키다, 만들어내다 (= produce, create)

The program would generate a lot of new jobs.
그 프로그램은 많은 새로운 일자리를 |||||||| 것이다.

➕ generation 명 세대; 발생

---

470 **inward**
[ínwərd]

형 안쪽으로 향한; 마음속의
부 안으로, 내부로

She decorated the inward part of the house in white.
그녀는 집의 |||||||| 부분을 흰색으로 꾸몄다.

↔ outward 형 밖으로 향한 부 바깥쪽으로

발음주의

471 **priority**
[praió(:)rəti]

명 우선 사항; 우선권

His first priority is to find somewhere to live.
그의 첫 번째 |||||||| 은 살 곳을 찾는 것이다.

➕ prior 형 사전의, 우선하는
↔ posteriority 명 뒤, 다음

---

472 **disgust**
[disɡʌ́st]

명 혐오감 (= hatred), 역겨움
동 역겹게 하다

She looked at him with disgust.
그녀는 |||||||| 그를 보았다.

➕ disgusting 형 역겨운, 구역질나는

---

473 **hollow**
[hálou]

형 (속이) 텅 빈 (= empty); 무의미한

The tree trunk was completely hollow from the insects.
나무둥치는 벌레들 때문에 속이 완전히 |||||||| 있었다.

↔ solid 형 속이 꽉 찬; 고체의

---

474 **display**
[displéi]

dis[not]+play[hold]
접지 않다 → 진열하다

동 전시하다 (= exhibit), 보여주다
명 전시, 진열

He displayed his inventions at the science fair.
그는 발명품을 과학 박람회에 ||||||||.

Day
32

475 snob
[snɑb]

명 고상한 척하는 사람, 속물

I don't want to be a snob.
나는 ▓▓▓ 이 되고 싶지 않다.

➕ snobbish 형 고상한 체하는

강세주의

476 democracy
[dimάkrəsi]

demo[common people]
+cracy[rule, strength]
민중의 지배 → 민주주의

명 민주주의

It is hoped that this change will strengthen
democracy.
이 변화가 ▓▓▓ 를 더 튼튼하게 해줄 것으로 기대된다.

➕ democratic 형 민주주의의, 민주적인
⟷ dictatorship 명 독재

477 pimple
[pímpl]

명 여드름, 뾰루지 (= acne)

He got pimples on his cheeks.
그는 두 볼에 ▓▓▓ 이 났다.

➕ pimpled 형 여드름이 난

478 think better of

다시 생각하다 (= reconsider), 재고하다

He started to say something, then thought
better of it.
그는 무언가를 말하기 시작했고, 그러고 나서 그것을 ▓▓▓.

479 reflect on

~에 대해 생각하다 (= consider, think)

I reflected on the child's future.
나는 그 아이의 미래에 ▓▓▓.

480 be based on

~에 근거하다 (= be founded on)

The movie is based on a true story.
그 영화는 실화에 ▓▓▓.

Get More   adapt의 다양한 뜻

1 동 적응하다
adapt to new circumstances
새로운 환경에 적응하다

2 동 (소설·극 등을) 각색하다
adapt a novel for a soap opera
소설을 드라마로 각색하다

✎ ANSWERS p. 283

A 영어는 우리말로, 우리말은 영어로 쓰시오.

1	resident	_____	6	발생시키다, 만들어내다 _____
2	democracy	_____	7	역겨움, 역겹게 하다 _____
3	be based on	_____	8	~에 대해 생각하다 _____
4	think better of	_____	9	안으로, 안쪽으로 향한 _____
5	agriculture	_____	10	고상한 척하는 사람 _____

B 빈칸에 알맞은 단어를 [보기]에서 골라 쓰시오. (필요시 형태를 고칠 것)

보기	priority	adapt	pimple	hollow	display

11 His face was covered in _____.

그의 얼굴은 여드름투성이었다.

12 I hope your words will not be _____ promises.

나는 너의 말이 무의미한 약속이 되지 않기를 바란다.

13 In this alley, residents have _____ for parking.

이 골목은 거주자 우선 주차 구역이다.

14 The exhibition gives all the artists an opportunity to _____ their work.

그 전시회는 모든 화가들에게 작품을 전시할 기회를 제공한다.

15 When children go to a different school, it usually takes them a while to _____.

아이들이 다른 학교로 전학 갈 때, 보통 적응하는 데 한참이 걸린다.

C A : B = C : D의 관계가 되도록 알맞은 단어를 [보기]에서 골라 쓰시오.

보기	democracy	hollow	generate	inward	resident

16 reward : punishment = solid : _____

17 arrangement : arrange = generation : _____

18 sharp : dull = outward : _____

19 snobbish : snob = democratic : _____

20 element : factor = inhabitant : _____

Day **32**

저는 어제 아주 무서운 꿈을 꿨어요.

저는 꿈에서 Antarctica를 여행하고 있었어요.

그런데 갑자기 무시무시한 devil이 나타나서 저의 발목을 grab하는 거예요!

으으, 정말 무서웠다고…

🔊 MP3 파일을 들으면서 단어를 따라 읽어보세요.

---

481 waist
☐☐
[weist]

명 허리

The skirt was too big around the waist.
치마는 ▓▓▓▓ 가 너무 컸다.

발음주의

482 rely
☐☐
[rilái]

rely–relied–relied

동 의지하다; 신뢰하다, 믿다 (= depend, trust)

He no longer relies on his parents for money.
그는 더 이상 부모님께 돈 때문에 ▓▓▓▓▓ 않는다.

➕ reliable 형 믿을 수 있는
reliance 명 신뢰, 신용
↔ distrust 동 의심하다

---

483 stool
☐☐
[stu:l]

wooden stool
나무 의자

명 (등받이·팔걸이가 없는) 의자

Don't sit on that stool; one of the legs is broken.
그 ▓▓▓▓ 에 앉지 마라. 다리 하나가 부러졌어.

---

484 ankle
[ǽŋkl]

ankle boots
발목까지 올라오는 부츠

몡 발목

I slipped on the stairs and hurt my ankle.
나는 계단에서 미끄러져서 ▨▨▨▨▨을 다쳤다.

---

485 glamorous
[glǽmərəs]

혱 매력이 넘치는 (= attractive)

She looked glamorous in her black gown.
검은 가운을 입은 그녀는 ▨▨▨▨▨ 보였다.

➕ glamour 몡 매력

---

486 grab
[græb]

grab–grabbed–grabbed

동 (와락) 붙잡다, 움켜잡다 (= snatch, grasp)

The police grabbed the criminal's shoulder.
경찰관은 범인의 어깨를 ▨▨▨▨▨.

---

487 Antarctica
[æntáːrktikə]

몡 남극 대륙 (= the Antarctic Continent)

Some 95 percent of Antarctica is covered with an icecap.
▨▨▨▨▨의 약 95퍼센트가 만년설로 덮여 있다.

---

488 devil
[dévl]

몡 악마 (= demon)

He went to the Halloween party, dressed up as a devil.
그는 ▨▨▨▨▨ 처럼 차려입고 할로윈 파티에 갔다.

➕ devilish 혱 악마 같은; 지독한
↔ angel 몡 천사

---

489 beholder
[bihóuldər]

몡 보는 사람, 구경꾼 (= spectator)

Curious beholders watched the ceremony.
호기심 많은 ▨▨▨▨▨ 은 그 의식을 지켜봤다.

➕ behold 동 보다, 바라보다

Day
33

490 □□	**screw** [skru:]	명 나사, 나사못 (= nail) 동 나사로 고정시키다

screw
[skru:]

명 나사, 나사못 (= nail)
동 나사로 고정시키다

Turn the screw to the right and tighten it.
▓▓▓▓▓를 오른쪽으로 돌려서 꽉 조여라.

---

491 □□ **property**
[prápərti]

cultural properties
문화재

명 재산; 소유물 (= possessions)

Some of the stolen property was found in his house.
도둑맞은 ▓▓▓▓들 중 일부가 그의 집에서 발견되었다.

발음주의

492 □□ **assign**
[əsáin]

as[to]+sign[mark]
~의 몫으로 표시하다 → 할당하다

동 (일·물건 등을) 할당하다 (= allocate);
선정하다 (= appoint)

He assigned the task to me.
그는 그 일을 내게 ▓▓▓▓▓▓.

➕ assignment 명 숙제; 할당

---

493 □□ **think over**

심사숙고하다, 곰곰이 생각하다 (= consider)

I've thought over what you said, and you're right.
나는 네가 했던 말을 ▓▓▓▓▓ 네가 옳다.

---

494 □□ **take notes**

필기하다 (= write down)

In class, I take notes while listening to my teacher.
수업시간에 나는 선생님 말씀을 들으면서 ▓▓▓▓▓.

---

495 □□ **open one's arms**

팔을 벌리다

She opened her arms to hug me tightly.
그녀는 ▓▓▓▓▓ 나를 꽉 껴안았다.

 Get More property의 다양한 뜻

1 명 부동산
a property dealer
부동산 중개인

2 명 특성, 특질
a herb with healing properties
치유하는 특성이 있는 약초

✎ ANSWERS p. 283

A 영어는 우리말로, 우리말은 영어로 쓰시오.

1	devil _____	6	의지하다, 신뢰하다 _____
2	property _____	7	(와락) 붙잡다, 움켜잡다 _____
3	take notes _____	8	곰곰이 생각하다 _____
4	glamorous _____	9	남극 대륙 _____
5	assign _____	10	팔을 벌리다 _____

B 빈칸에 알맞은 단어를 [보기]에서 골라 쓰시오. (필요시 형태를 고칠 것)

보기	waist	grab	ankle	screw	beholder

11 The child _____ all the candy from the jar.
그 아이는 단지 안에 있는 사탕을 전부 움켜쥐었다.

12 A crowd of _____ soon gathered at the scene of the fire.
많은 구경꾼들이 곧 화재 현장에 모여들었다.

13 He put his arm around her _____.
그는 그녀의 허리에 팔을 둘렀다.

14 She tripped on the stairs and twisted her right _____.
그녀는 계단에서 발을 헛디뎌서 오른쪽 발목을 삐었다.

15 This _____ is too small for the hole.
이 나사는 구멍에 비해 너무 작다.

C 관계있는 것끼리 선으로 연결하시오.

16 stool •　　• ⓐ to trust or depend on someone or something

17 glamorous •　　• ⓑ the things that someone owns

18 assign •　　• ⓒ to give someone a particular job

19 rely •　　• ⓓ attractive, exciting and related to wealth and success

20 property •　　• ⓔ a seat that has three or four legs, but no back or arms

DAY 34

그는 tragic한 결말을 가진 작품에 주로 출연했어요.

이번 작품에서는 남자 주인공의 heartbreak한 마음을 잘 표현해냈죠.

다음 작품에서는 어떤 역할을 하게 될까 기대돼요!

◀» MP3 파일을 들으면서 단어를 따라 읽어보세요.

---

496 tragic
[trǽdʒik]

형 비극적인 (= sad); 비참한

They both died in a tragic car accident.
그들은 둘 다   자동차 사고로 죽었다.

➕ tragedy 명 비극; 참사
     tragically 부 비극적으로
↔ comic 형 희극적인

강세주의

497 overjoy
[òuvərdʒɔ́i]

동 매우 기쁘게 하다

The news overjoyed my parents.
그 소식은 부모님을   .

---

498 heartbreak
[háːrtbrèik]

명 비탄, 비통 (= sorrow, grief)

His sudden death caused her a lot of heartbreak.
그의 갑작스런 죽음은 그녀에게 큰   을 주었다.

➕ heartbreaking 형 가슴이 터질 듯한

---

499 ethic
[éθik]

명 윤리, 도덕

My father has a strong work ethic.
나의 아버지께서는 뚜렷한 직업 ▨▨▨ 를 가지고 계신다.

✚ ethics 명 윤리학

500 category
[kǽtəgɔ̀ːri]

명 범주 (= class); 종류

The paintings belong to the same category.
그 그림들은 같은 ▨▨▨ 에 속한다.

✚ categorize 동 분류하다

501 compliment
[kámpləmənt]

com[together]+pli[fill]+ment
함께 채워줌 → 칭찬

명 칭찬, 찬사 (= praise)
동 칭찬하다

Being compared to him is a great compliment.
그와 비교되는 것은 큰 ▨▨▨ 이다.

✚ complimentary 형 칭찬하는
↔ criticism 명 비난; 비평

502 rainforest
[réinfɔ̀(ː)rist]

명 열대우림

Logging destroys the rainforest.
벌목은 ▨▨▨ 을 파괴한다.

503 organic
[ɔːrɡǽnik]

형 유기농의; 유기체의; 기관의

Organic farming is better for the environment.
▨▨▨ 농업이 환경에 더 유익하다.

✚ organize 동 조직하다
organization 명 조직
organ 명 (인체 내의) 장기

organic food
유기농 식품

504 currency
[kə́ːrənsi]

명 통화, 화폐; 통용

They were paid in the U.S. currency.
그들은 미국 ▨▨▨ 로 지불받았다.

✚ current 형 현재의; 통용되는

foreign currency
외화

505 breeze [briːz]	명 산들바람, 미풍	
	The flags of all nations fluttered in the breeze.	
	만국기가 ▨▨▨ 에 펄럭였다.	

506 seaweed [síːwìːd]	명 해초, 해조 (= marine plant)	
	There are many different types of seaweed in the sea.	
	바다에는 매우 다양한 종류의 ▨▨▨ 가 있다.	

발음주의

507 liquor [líkər]	명 독한 술	
	Liquor includes drinks like whisky and gin.	
	▨▨▨ 은 위스키나 진 같은 술이다.	

508 take the initiative	주도권을 잡다, 주도하다 (= have the initiative)	
	It's not easy for you to take the initiative in this negotiation.	
	이 협상에서 당신이 ▨▨▨ 것은 쉽지 않다.	

509 give ~ a shot	~을 시도하다 (= try)	
	I have little chance of winning the race, but I'll give it a shot.	
	내가 시합에서 이길 가능성은 거의 없지만 나는 ▨▨▨.	

510 look forward to	~을 몹시 기대하다	
	I'm looking forward to my birthday party.	
	나는 생일 파티를 ▨▨▨ 있다.	

Get More   compliment *vs.* flattery

1 compliment 명 찬사, 칭찬
I'll take that as a **compliment**.
칭찬으로 받아들이겠습니다.

2 flattery 명 아첨, 감언
Flattery will get you nowhere.
아부해 봐야 소용없어.

✐ ANSWERS p. 283

A 영어는 우리말로, 우리말은 영어로 쓰시오.

1	ethic	_____	6	매우 기쁘게 하다	_____
2	liquor	_____	7	비극적인, 비참한	_____
3	rainforest	_____	8	통화, 화폐, 통용	_____
4	heartbreak	_____	9	주도권을 잡다	_____
5	look forward to	_____	10	~을 시도하다	_____

B 빈칸에 알맞은 단어를 [보기]에서 골라 쓰시오. (필요시 형태를 고칠 것)

보기	seaweed	compliment	breeze	category	organic

11 Voters fall into three main _____.
투표자들은 세 가지 주요 범주로 나뉜다.

12 The _____ industry is growing very fast.
유기농 산업이 매우 빠르게 성장하고 있다.

13 The flowers were gently swaying in the _____.
꽃들이 산들바람에 부드럽게 흔들리고 있었다.

14 _____ is a food that comes from the sea.
해초는 바다에서 나는 식품이다.

15 She never paid her child any _____.
그녀는 결코 자기 아이를 칭찬하지 않았다.

C 설명하는 단어를 [보기]에서 골라 쓰시오.

보기	heartbreak	ethic	seaweed	currency	compliment

16 the system or type of money that a country uses _____

17 a green or brown plant that grows in the sea _____

18 great sadness or disappointment _____

19 a remark or action that express approval or respect _____

20 a general idea or belief that influences people's behavior _____
and attitudes, especially based on morals

이력서를 벌써 다 쓴 거야?

응. 다른 이력서에서 약간 plagiarize했더니 금방이던걸~

만약 회사에서 그 사실을 알게 된다면, 너를 employ하지 않을 거야.

🔊 MP3 파일을 들으면서 단어를 따라 읽어보세요.

511
□□ **spacewalk**
[spéiswɔ̀:k]

명 우주 유영
동 우주 유영하다

The astronaut has made three successful spacewalks.
그 우주비행사는 세 번의　　　　　을 성공했다.

➕ space 명 우주; 공간

512
□□ **bounce**
[bauns]

동 튀다 (= spring); 뛰어다니다

The boy was bouncing a tennis ball against the garage door.
그 소년은 차고 문에 대고 테니스공을　　　　　있었다.

➕ bound 동 튀어 오르다

513
□□ **plagiarize**
[pléidʒəràiz]

동 표절하다

The singer plagiarized the words from a foreign song.
그 가수는 외국 노래에서 가사를　　　　　.

➕ plagiarism 명 표절; 표절 행위

---

514 bleed
[bli:d]

bleed-bled-bled

동 피를 흘리다

He was bleeding from a shoulder wound.
그는 어깨에 난 상처에서 ▨▨▨▨▨▨.

➕ blood **명** 혈액

---

515 employ
[implɔ́i]

em[in]+ploy[fold]
안으로 접다 → 고용하다

동 고용하다 (= hire)

She employed a young designer who was talented.
그녀는 재능 있는 젊은 디자이너를 ▨▨▨▨▨▨.

➕ employment **명** 고용
↔ fire **동** 해고하다

---

516 brace
[breis]

neck brace
목 보조기

동 대비하다; 버팀대로 받치다
명 버팀대

We braced for the storm.
우리는 폭풍우에 ▨▨▨▨▨▨.

Day
35

강세주의

517 expressive
[iksprésiv]

형 표정이 풍부한; 표현하는

The actress has an expressive face.
그 여배우는 얼굴이 ▨▨▨▨▨▨.

➕ express **동** 표현하다 **형** 급행의
expression **명** 표현; 표정

---

518 sled
[sled]

명 썰매 (= sledge)

Will you teach me how to drive a sled?
▨▨▨▨▨▨ 타는 법을 나에게 가르쳐 줄래?

---

519 physic
[fízik]

명 약 (= medicine)

Physic is an old word meaning "medicine."
▨▨▨▨▨▨ 은 '약'을 뜻하는 고어이다.

➕ physics **명** 물리학
physical **형** 육체의; 물질의

520 arc
[ɑːrk]

arc of a rainbow
둥근 무지개

명 호, 활모양 (= curve, bow)

He bent the twig into an **arc**.
그는 그 작은 가지를 〔   〕으로 구부렸다.

➕ arch 명 아치형 구조물

---

521 underdeveloped
[Àndərdivéləpt]

형 저개발의, 후진국의

An **underdeveloped** country usually has a low standard of living.
〔   〕국가는 대개 생활 수준이 낮다.

➕ underdevelopment 명 저개발
↔ developed 형 발달한, 선진의

발음주의

522 primary
[práiměri]

prim[first]+ary
처음의 → 첫째의

형 주된, 주요한 (= prime, chief); 첫째의 (= first)

Elderly people's welfare is our **primary** concern.
노인복지가 우리의 〔   〕관심사이다.

---

523 crash into

~과 충돌하다 (= impact, collide)

The bike **crashed into** a telephone pole.
자전거가 전신주와 〔   〕.

---

524 get in touch with

~와 연락하다 (= contact)

I have been trying to **get in touch with** her all day today.
나는 오늘 하루 종일 그녀와 〔   〕 시도하고 있다.

---

525 take ~ into account

~을 고려하다 (= consider)

I'll **take** your suggestion **into account**.
나는 당신의 제안을 〔   〕.

Get More   employ *vs.* hire

1 employ 동 (직원으로) 고용하다
employ him as a secretary
그를 비서로 고용하다

2 hire 동 (일시적으로) 고용하다
hire a man to mow the lawn
잔디 깎는 사람을 고용하다

✎ ANSWERS p. 284

A 영어는 우리말로, 우리말은 영어로 쓰시오.

1 physic _____
2 plagiarize _____
3 underdeveloped _____
4 sled _____
5 get in touch with _____

6 대비하다, 버팀대 _____
7 표정이 풍부한, 표현하는 _____
8 ~을 고려하다 _____
9 호, 활모양 _____
10 ~과 충돌하다 _____

B 빈칸에 알맞은 단어를 [보기]에서 골라 쓰시오. (필요시 형태를 고칠 것)

| 보기 | spacewalk | employ | bounce | primary | bleed |

11 He'd been wounded in the arm and he was _____ heavily.
그는 팔에 부상을 당해 심하게 피를 흘리고 있었다.

12 The company _____ him as an accountant.
그 회사는 그를 회계사로 고용했다.

13 It would be fun to _____ in space.
우주에서 유영하는 것은 재미있을 것이다.

14 This soccer ball doesn't _____.
이 축구공은 튀지 않는다.

15 Winning is not the _____ goal in this sport.
이 경기에서는 이기는 것이 주된 목적이 아니다.

C 괄호 안에서 알맞은 말을 골라 빈칸에 쓰시오.

16 (blood / bleed)
ⓐ _____ to death
ⓑ a _____ type

17 (employ / employment)
ⓐ _____ an assistant
ⓑ conditions of _____

18 (expressive / express)
ⓐ very _____ eyes
ⓑ _____ surprise

19 (physic / physical)
ⓐ _____ education
ⓑ a _____ garden

20 (underdeveloped / underdevelopment)
ⓐ a major cause of _____
ⓑ _____ regions

DAY 31~35 Review Test

✎ ANSWERS p. 284

다음 우리말에 맞게 빈칸에 주어진 철자로 시작하는 단어를 쓰시오.

DAY 31

1	버릇없는 행동	improper c_____
2	옷을 잘 차려입은 노인	a well-dressed e_____ man
3	폭풍우 치는 날씨	s_____ weather
4	도자기 예술	c_____ arts
5	세로축	the v_____ axis
6	최신판	the latest v_____

DAY 32

7	외국인 거주자들	foreign r_____s
8	안쪽에	on the i_____ side
9	새로운 문화에 적응하다	a_____ to a new culture
10	속이 텅 빈 통나무	a h_____ log
11	턱에 난 여드름	p_____s on the chin
12	사회 민주주의	social d_____

DAY 33

13	가는 허리	a slim w_____
14	느낌에 의존하다	r_____ on a feeling
15	매력적인 여성	a g_____ woman
16	공유 재산	common p_____
17	나사를 돌리다	turn a s_____
18	지갑을 낚아채다	g_____ a purse

DAY 34

19	비극적인 이야기	a t_____ story
20	진심어린 칭찬	sincere c_____s
21	유기 농업	o_____ farming
22	국내 통화	local c_____
23	아마존 지역의 열대우림	the Amazon r_____
24	시원한 바람	a fresh b_____

DAY 35

25	우주 유영을 하다	take a s_____
26	호를 그리며 날아가다	fly in an a_____
27	공격에 대비하다	b_____ for attacks
28	썰매를 끌다	pull a s_____
29	논문을 표절하다	p_____ a paper
30	주된 특징	a p_____ characteristic

Zoom In

by oneself
(= alone)
홀로

📖 I studied English **by myself** last night.
나는 지난밤에 홀로 영어를 공부했다.

for oneself
(= without other's help)
혼자의 힘으로

📖 Kevin can't do anything **for himself**.
Kevin은 혼자 힘으로는 어떤 것도 할 수 없다.

in itself
(= by nature)
그 자체로, 본래

📖 The drug is not harmful **in itself**, but is
dangerous when taken with alcohol.
약은 그 자체로는 해롭지 않지만, 술과 함께 먹으면 위험하다.

of itself
(= by itself)
저절로, 자연히

📖 The candle on the table went out **of itself**.
탁자 위에 있는 촛불이 저절로 꺼졌다.

beside oneself
(= mad, upset)
(걱정, 흥분으로) 이성을 잃고,
어찌할 바를 모르고

📖 He was **beside himself** with joy when
he heard he had passed the exam.
그는 시험에 합격했다는 소리를 들었을 때 기뻐서 어쩔 줄
몰랐다.

between ourselves
우리끼리 이야기지만,
이것은 비밀이지만

📖 **Between ourselves**, I knew he liked her.
우리끼리 이야기지만, 나는 그가 그녀를 좋아한다는 것을 알고
있었다.

talk to oneself
혼잣말하다

📖 Whenever she is in trouble, she **talks
to herself**, looking out the window.
그녀는 고민이 있을 때마다 창밖을 보며 혼잣말을 한다.

in spite of oneself
무심코

📖 I looked behind **in spite of myself**.
나는 무심코 뒤를 돌아보았다.

DAY 36

그녀는 warm-hearted한 사람입니다.

Disadvantage를 감수하고, 그녀는 옳은 일에 앞장섰어요.

또한 그녀는 어려운 사람들을 돕는 데 주저하지 않았어요.

그녀만큼 훌륭한 사람도 없을 거야!

🔊 MP3 파일을 들으면서 단어를 따라 읽어보세요.

---

526 eatable
[íːtəbəl]

형 먹을 수 있는, 먹기에 적합한 (= edible)

All of the decorations on the cake are eatable.
케이크 위에 있는 모든 장식들은 [   ].

➕ eat 동 먹다
↔ inedible, uneatable 형 먹을 수 없는

---

527 warm-hearted
[wɔ́ːrmháːrtid]

형 마음이 따뜻한 (= friendly, kind)

She is not as warm-hearted as Jessica.
그녀는 Jessica만큼 [   ] 않다.

↔ cold-hearted 형 냉담한, 무정한

발음주의

528 eyebrow
[áibràu]

명 눈썹

I like a man who has thick eyebrows.
나는 [   ]이 짙은 남자를 좋아한다.

eyebrow pencil
눈썹연필

529 disadvantage
[dìsədvǽntidʒ]

명 불리한 점 (= drawback); 불편함

One disadvantage of this job is the long hours.
이 직업의 [   ] 하나는 장시간 근무이다.

➕ disadvantageous 형 불리한
↔ advantage 명 유리한 점, 장점

---

530 likewise
[láikwàiz]

부 똑같이, 마찬가지로 (= similarly); 게다가

I drew a picture of my mother. My brother did likewise.
나는 엄마의 그림을 그렸다. 내 남동생도 [   ] 했다.

➕ like 형 같은; 닮은 전 ~처럼, ~와 같이
↔ differently 부 다르게

---

531 fluid
[flú:id]

flu[flow]+id
흐르는 것 → 유동체

명 유동체, 액체 (= liquid)
형 유동적인; 유려한

She needs to drink plenty of fluids.
그녀는 많은 양의 [   ] 를 마셔야 한다.

↔ solid 명 고체

---

532 political
[pəlítikəl]

형 정치적인

Education has become a major political issue.
교육이 주요 [   ] 쟁점이 되어 왔다.

➕ politics 명 정치; 정치학
politically 부 정치적으로

Day
36

---

533 infield
[ínfì:ld]

명 (야구·크리켓) 내야; 농가 주변의 밭

There is an infield and an outfield on the playing field.
경기장에는 [   ] 와 외야가 있다.

↔ outfield 명 외야

---

534 bind
[baind]

bind—bound—bound

동 묶다 (= tie); 의무를 지게 하다

They bound his hands together with a rope.
그들은 그의 두 손을 밧줄로 [   ].

↔ untie, undo 동 풀다

535 quantity
[kwántəti]

명 양 (= amount), 분량, 수량

Add a half a cup of water, and the same quantity of vinegar.
물 반 컵과 같은 [   ]의 식초를 첨가해라.

↔ quality 명 질

536 pod
[pɑd]

pod-podded-podded

명 (콩의) 깍지, 꼬투리
동 꼬투리를 까다

He split the vanilla pod with a sharp knife.
그는 날카로운 칼로 바닐라 [   ]를 쪼갰다.

발음주의

537 deny
[dinái]

deny-denied-denied

동 부인하다, 부정하다; 거절하다 (= refuse)

She didn't deny that she had made a mistake.
그녀는 실수를 했다는 것을 [   ] 않았다.

✚ denial 명 부인, 부정
↔ admit 동 인정하다

538 team up with

~와 협력하다 (= cooperate with)

We have to team up with them to win the competition.
우리는 시합에서 이기기 위해서 그들과 [   ] 한다.

539 work together

함께 일하다 (= pull together)

They are used to working together as a team.
그들은 팀으로 [   ] 데 익숙해져 있다.

540 play a joke on

~를 놀리다, 조롱하다 (= tease, make fun of)

Nick wasn't fond of the classmates who played a joke on him.
Nick은 그를 [   ] 반 아이들을 좋아하지 않았다.

Get More fluid의 다양한 뜻

1 형 부드러운, 유려한
a ballerina's **fluid** movements
발레리나의 유려한 동작

2 형 유동적인, 가변적인
a **fluid** political situation
유동적인 정치 상황

🖉 ANSWERS p. 284

A 영어는 우리말로, 우리말은 영어로 쓰시오.

1 disadvantage _____
2 political _____
3 eyebrow _____
4 team up with _____
5 work together _____

6 묶다, 의무를 지게 하다 _____
7 (콩의) 깍지, 꼬투리 _____
8 마음이 따뜻한 _____
9 ~를 놀리다, 조롱하다 _____
10 부인하다, 부정하다 _____

B 빈칸에 알맞은 단어를 [보기]에서 골라 쓰시오. (필요시 형태를 고칠 것)

| 보기 | quantity | infield | eatable | likewise | fluid |

11 Let's look for something _____.
무언가 먹을 수 있는 것을 찾아보자.

12 Watch her dancing and do _____.
그녀가 춤추는 것을 잘 보고 똑같이 해 보아라.

13 You need to drink lots of _____ and get plenty of sleep.
너는 음료를 많이 마시고 잠을 많이 자야 한다.

14 He was out on a(n) _____ ground ball.
그는 내야 땅볼로 아웃되었다.

15 The cookbook did not indicate pan size, type or _____.
그 요리책은 팬의 크기, 종류나 수량을 명시하지 않았다.

C 설명하는 단어를 [보기]에서 골라 쓰시오.

| 보기 | eyebrow | disadvantage | bind | political | deny |

16 the line of hair above your eye _____
17 to tie someone so that they cannot move or escape _____
18 to say that something is not true _____
19 relating to the government, politics and public affairs of a country _____
20 something that makes someone or something less likely to be successful or effective _____

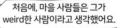

처음에, 마을 사람은 그가 weird한 사람이라고 생각했어요.

시간이 지날수록, 사람들은 그의 참모습을 알게 되었습니다.

그는 마을의 발전을 위해 자신을 dedicate했어요.

그는 손수 포도나무를 심고 가꿔서 orchard를 만들었어요.

🔊 MP3 파일을 들으면서 단어를 따라 읽어보세요.

---

541 summary
[sʌ́məri]

⌐명 요약, 개요 (= outline)

He concluded the report with a brief **summary**.
그는 간단한 [   ]와 함께 그 보고서를 마쳤다.

➕ summarize 통 요약하다

---

542 capture
[kǽptʃər]

cap[take]+ture
잡다 → 붙잡다

⌐통 붙잡다, 체포하다 (= catch, arrest)

The police could **capture** the criminal with the help of a brave man.
경찰은 용감한 한 남자의 도움으로 범인을 [   ] 수 있었다.

↔ release 통 풀어주다

---

543 vary
[vέəri]

vary–varied–varied

⌐통 서로 다르다 (= differ); 변하다 (= change)

The cost of a room for one night at the hotel **varies** with the season.
호텔의 1박 객실료는 계절에 따라 [   ].

➕ various 형 다양한, 여러 가지의
variation 명 변화; 차이
variety 명 여러 가지, 다양성

---

166 Part Ⅱ 필수 어휘로 내신 다지기

544 thatch
[θætʃ]

몡 (지붕의) 짚, 이엉 (= straw)

A roof made of thatch was badly damaged in the storm.

░░░░ 으로 만들어진 지붕이 폭풍에 심하게 망가졌다.

---

545 dedicate
[dédikèit]

동 (시간·노력을) 바치다, ~에 전념하다 (= devote)

The actor dedicated his whole life to helping the poor.

그 배우는 가난한 사람들을 돕는 데 평생을 ░░░░.

➕ dedication 몡 전념, 헌신

---

546 lecture
[léktʃər]

몡 강의, 강연 (= address, speech)

The lecture on geography that Mr. David gave us was so boring.

David 선생님이 우리에게 해주신 지리학 ░░░░ 는 너무 지루했다.

---

547 disposable
[dispóuzəbl]

disposable gloves
일회용 장갑

형 일회용의

We have to reduce use of disposable products to protect the environment.

우리는 환경을 보호하기 위해서 ░░░░ 제품 사용을 줄여야 한다.

↔ sustainable 형 지속가능한

---

548 revolutionize
[rèvəlúːʃənàiz]

동 혁신을 일으키다, 혁명을 일으키다

The arrival of the computer has revolutionized the publishing industry.

컴퓨터의 등장은 출판업에 ░░░░.

➕ revolution 몡 혁명, 변혁

---

549 weird
[wiərd]

형 이상한, 기묘한 (= strange, unusual); 무시무시한

I had a weird dream last night.

나는 어젯밤에 ░░░░ 꿈을 꾸었다.

Day 37

550 orchard
[ɔ́ːrtʃərd]

명 과수원

I grew up in the countryside where there were a number of pear orchards.
나는 배 [   ]이 많이 있는 시골에서 자랐다.

---

551 theory
[θíəri]

명 이론 (= thesis)

The professor has studied up on the theory of relativity.
그 교수는 상대성 [   ]을 주의 깊게 연구해왔다.

---

552 probe
[proub]

동 엄밀히 조사하다 (= investigate)
명 철저한 조사

Investigators are probing the causes of the plane crash.
수사관들이 비행기 추락 사고의 원인을 [   ] 있다.

---

553 deal with

처리하다, 다루다 (= handle)

The government must deal with the problem of unemployment as soon as possible.
정부는 실업 문제를 가능한 한 빨리 [   ] 한다.

---

554 go on sale

시판되다, 판매하다 (= sell)

This model will go on sale at a reduced price next week.
이 모델은 다음 주부터 할인가로 [   ] 것이다.

---

555 turn away from

~을 외면하다

Many shoppers turned away from products that were not environmentally friendly.
많은 구매자들이 환경친화적이지 않은 제품들을 [   ].

Get More vary *vs.* change *vs.* alter

1 vary
동 서서히 바꾸다
vary my daily routine
나의 일과를 바꾸다

2 change
동 본질적으로 바꾸다
change my character
나의 성격을 고치다

3 alter
동 부분적으로 바꾸다
alter the design
디자인을 바꾸다

✎ ANSWERS p. 284

Ⓐ 영어는 우리말로, 우리말은 영어로 쓰시오.

1	weird	_____	6	처리하다, 다루다	_____
2	dedicate	_____	7	강의, 강연	_____
3	theory	_____	8	과수원	_____
4	go on sale	_____	9	(지붕의) 짚, 이엉	_____
5	evolutionize	_____	10	~을 외면하다	_____

Ⓑ 빈칸에 알맞은 단어를 [보기]에서 골라 쓰시오. (필요시 형태를 고칠 것)

보기	vary	summary	capture	disposable	probe

11 He set several traps to _____ the mice in his house.
그는 집에 있는 쥐를 잡으려고 여러 개의 덫을 놓았다.

12 _____ diapers can take hundreds of years to break down.
일회용 기저귀는 분해되는 데 수백 년이 걸릴 수 있다.

13 This book has a _____ at the end of each chapter.
이 책은 각 장 끝에 요약이 있다.

14 Firefighters are still _____ for the cause of the fire.
소방관들은 아직도 화재의 원인을 찾고 있다.

15 The heights of the plants _____ from 10 cm to 25 cm.
그 식물들의 높이는 10 cm에서 25 cm까지 각기 다양하다.

Ⓒ 빈칸에 알맞은 단어를 괄호 안에서 골라 쓰시오.

16 She listens to some really _____ music.
(weird / disposable)

17 He decided to _____ his life to the human rights movement.
(dedicate / vary)

18 You need to test your _____ through experiments.
(theory / summary)

19 The professor delivered a(n) _____ on modern art.
(orchard / lecture)

20 New technology is going to _____ everything that we do.
(probe / revolutionize)

Day 37

DAY
38

내 직장동료가
이 necklace를
선물해줬어!

그의
gratitude를
표현한 거라고~

그가 프로젝트를 준비를 하는 동안
내가 내내 도와줬거든.

설마,
널 좋아하는 건
아니겠지…?

오호~

🔊 MP3 파일을 들으면서
단어를 따라 읽어보세요.

---

556 **absurd**
[æbsə́:rd, æbzə́:rd]

휑 우스꽝스러운 (= ridiculous); 불합리한

The story that he told me yesterday was **absurd**.
그가 어제 나에게 했던 이야기는 [   ].

➕ absurdity 몡 부조리, 모순

---

557 **referee**
[rèfərí:]

몡 (스포츠 경기의) 심판 (= umpire); 중재인

The math teacher was the **referee** for the football game.
수학 선생님이 축구 경기의 [   ]이었다.

발음주의

558 **crevice**
[krévis]

몡 (지면·바위·담에 생긴) 갈라진 틈 (= crack, gap)

rock crevice
바위 틈

After the earthquake, **crevices** appeared in the front yard of the house.
지진이 난 후에 집 앞마당에 [   ]이 생겼다.

➕ creviced 휑 금이 난

---

559 humid
[hjúːmid]

형 날씨가 습한, 습기가 많은 (= damp)

Summers in Korea are really hot and humid.
한국의 여름은 매우 덥고   .

➕ humidity 명 습도
   humidifier 명 가습기
↔ dry 형 건조한

---

560 carve
[kɑːrv]

동 조각하다 (= sculpt)

He carved a lot of sculptures out of marble.
그는 대리석으로 많은 조각품들을   .

➕ carved 형 조각된

---

561 apology
[əpɑ́lədʒi]

apo[away]+log[speech]+y
비난을 피하기 위한 말 → 사과

명 사과, 사죄; 변명 (= excuse)

The man went away without a word of apology.
그 남자는 한 마디의   도 없이 가버렸다.

➕ apologize 동 사과하다

---

562 fatty
[fǽti]

형 기름기가 많은 (= greasy, oily)

Fatty foods are not good for the heart.
     음식은 심장에 좋지 않다.

➕ fat 명 지방 형 살찐

Day
38

---

563 greed
[griːd]

명 탐욕

His greed for money made him unhappy.
돈에 대한   때문에 그는 불행해졌다.

➕ greedy 형 탐욕스러운

---

564 pesticide
[péstisàid]

명 살충제

Pesticides are used to kill insects that damage plants or crops.
     는 식물이나 농작물에 피해를 입히는 곤충을 죽이는 데 사용된다.

565 innocence
[ínəsəns]

명 결백, 무죄

This new evidence would prove his innocence.
이 새로운 증거가 그의 ▨▨▨▨▨▨ 을 입증해 줄 것이다.

➕ innocent 형 무죄인, 결백한
↔ guilt 명 유죄

---

566 gratitude
[grǽtətjùːd]

grati[thankful]+tude
감사하기 → 감사

명 고마움, 감사 (= thankfulness)

I don't know how to express my gratitude to the teachers.
선생님들께 어떻게 ▨▨▨▨▨▨ 의 표시를 해야 할지 모르겠다.

↔ ingratitude 형 배은망덕

---

567 necklace
[néklis]

명 목걸이

She lost the gold necklace that her boyfriend had given her.
그녀는 남자친구가 준 금 ▨▨▨▨▨ 를 잃어버렸다.

---

568 die out

멸종하다 (= extinct)

Dinosaurs could not adapt to changes in the environment and died out in the end.
공룡들은 환경 변화에 적응할 수 없었고 결국 ▨▨▨▨▨ .

---

569 cope with

~에 대처하다

We're trying to cope with this serious disaster.
우리는 이 심각한 재난에 ▨▨▨▨▨ 애쓰고 있다.

---

570 pay expenses for

~의 비용을 지불하다

My father paid all the expenses for my studying abroad.
아버지가 나의 모든 유학 ▨▨▨▨▨ .

Get More　referee *vs.* umpire

1 referee 명 (주로 럭비 · 권투 · 농구 · 축구 · 하키 등의) 심판
　a basketball **referee** 농구 심판

2 umpire 명 (야구) 심판
　a baseball **umpire** 야구 심판

DAY 38 Wrap-up Test

✎ ANSWERS p. 285

A 영어는 우리말로, 우리말은 영어로 쓰시오.

1	greed	_____	6	(바위에 생긴) 갈라진 틈 _____
2	gratitude	_____	7	날씨가 습한, 습기가 많은 _____
3	carve	_____	8	멸종하다 _____
4	referee	_____	9	~의 비용을 지불하다 _____
5	pesticide	_____	10	~에 대처하다 _____

B 빈칸에 알맞은 단어를 [보기]에서 골라 쓰시오. (필요시 형태를 고칠 것)

보기	absurd	necklace	innocence	fatty	apology

11 She is wearing the _____ that she made by herself.
그녀는 자신이 직접 만든 목걸이를 하고 있다.

12 _____ food is bad for the patients.
기름기 있는 음식은 환자들에게 나쁘다.

13 I got a letter of _____ from her.
나는 그녀에서 사과의 뜻이 담긴 편지를 받았다.

14 That hat makes him looked _____.
그 모자 때문에 그가 우스꽝스러워 보인다.

15 The suspect continued to maintain his _____.
용의자는 계속해서 자신의 결백을 주장했다.

C 설명하는 단어를 [보기]에서 골라 쓰시오.

보기	humid	gratitude	referee	carve	greed

16 to make an object by cutting a piece of stone or wood _____

17 a strong feeling of being grateful _____

18 someone who enforces the rules of a sport _____

19 having a lot of moisture in the air _____

20 a strong wish to have more money, things or power
than you need _____

Day
38

DAY 39

저 calorie-free 라면 광고에 대해 어떻게 생각하니?

조금은 suspicious한 생각이 드는 걸?

맞아, 라면에 칼로리가 없다는 건 말이 안 돼.

동감이야 ~

◀ MP3 파일을 들으면서 단어를 따라 읽어보세요.

---

571 **scroll**
[skroul]

명 두루마리
동 (컴퓨터) 스크롤하다

He wrote a letter on a **scroll** and rolled it up.
그는 〔　　　〕에 편지를 쓰고 그것을 말았다.

---

572 **calorie-free**
[kǽlərifrìː]

형 칼로리가 (거의) 없는 (= noncaloric)

It is healthier for children to drink **calorie-free** drinks.
아이들은 〔　　　〕 음료를 마시는 것이 건강에 더 좋다.

---

573 **must-see**
[mʌ́stsìː]

명 꼭 보아야 할 것, 볼만한 것

I think Gyeongbok Palace is a **must-see** place in Seoul for foreign tourists.
나는 경복궁이 외국인 관광객들이 서울에서 〔　　　〕 곳이라고 생각한다.

➕ must-have 명 꼭 가져야 할 물건, 필수품

---

574 suspicious
[səspíʃəs]

형 의심하는, 의심스러운 (= doubtful)

My parents were suspicious of my answers.
부모님은 내 대답을 ▨▨▨▨ 하셨다.

➕ suspect 동 의심하다 명 용의자
suspicion 명 혐의, 의심
↔ unsuspicious 형 의심스럽지 않은

---

575 meditate
[médətèit]

동 명상하다; 숙고하다 (= ponder)

He meditates for an hour every morning.
그는 매일 아침 1시간 동안 ▨▨▨▨▨.

➕ meditation 명 명상

---

576 bandage
[bǽndidʒ]

명 붕대 (= dressing)
동 붕대를 감다

She was wearing a bandage round her right arm.
그녀는 오른쪽 팔에 ▨▨▨ 를 감고 있었다.

disposable bandages
일회용 반창고

➕ band 명 묶는 것, 밴드 동 끈으로 묶다

---

577 abandon
[əbǽndən]

a[at]+bandon[power]
권한 아래로 향하게 하다 → 버리다

동 버리다 (= desert); 포기하다 (= give up)

People often simply abandon their pets when they go abroad.
사람들은 종종 외국에 갈 때 그들의 애완동물을 그냥 ▨▨▨▨.

---

578 eyelid
[áilìd]

명 눈꺼풀

She wanted to get cosmetic surgery on her eyelids.
그녀는 ▨▨▨▨ 에 성형 수술을 하고 싶어 했다.

---

579 artistic
[ɑːrtístik]

형 예술적인, 예술의

Many artistic geniuses like Vincent van Gogh were not accepted in their own times.
빈센트 반 고흐와 같은 많은 ▨▨▨▨ 천재들은 당대에는 인정받지 못했다.

artistic work
예술 작품

➕ art 명 예술, 미술
artist 명 예술가

580 inconvenience
[ìnkənví:njəns]

명 불편, 애로사항

People who live in the countryside endure a lot of inconvenience.
시골에 사는 사람들은 많은 ▧▧▧▧ 을 참는다.

➕ inconvenient 형 불편한
↔ convenience 명 편의, 편리

---

581 reusable
[ri:jú:zəbəl]

형 재사용할 수 있는

We should try to use reusable goods to save the earth.
우리는 지구를 지키기 위해서 ▧▧▧▧ 제품들을 쓰도록 노력해야 한다.

---

582 rap
[ræp]

rap–rapped–rapped

동 (재빨리) 톡[쾅] 두드리다
명 랩 (음악); (재빨리) 톡 때리기

Like break-dancing, rap and hip-hop all came from the same communities.
브레이크댄스처럼 ▧▧▧▧ 과 힙합은 모두 같은 지역에서 유래되었다.

---

583 think back

회상하다 (= look back)

I kept thinking back to the day I first met her.
나는 내가 그녀를 처음 만난 날을 계속 ▧▧▧▧ .

---

584 set up

set–set–set

세우다 (= build, erect)

They've set up roadblocks around the city.
그들은 도시 주변에 바리케이트들을 ▧▧▧▧ .

---

585 call off

취소하다 (= cancel)

We had to call off our trip on account of bad weather.
우리는 날씨가 나빠서 여행을 ▧▧▧▧ 했다.

Get More   rap의 다양한 뜻

1 명 랩 (음악)
a popular rap song
인기 있는 랩 송

2 명 (재빨리) 톡[쾅] 때리기
a sharp rap on the door
문을 날카롭게 두드리는 소리

DAY **39** Wrap-up Test

✎ ANSWERS p. 285

A 영어는 우리말로, 우리말은 영어로 쓰시오.

1	set up	_____
2	bandage	_____
3	eyelid	_____
4	think back	_____
5	call off	_____

6	칼로리가 (거의) 없는	_____
7	랩, (재빨리) 톡 두드리다	_____
8	예술적인, 예술의	_____
9	꼭 보아야 할 것	_____
10	두루마리, 스크롤하다	_____

B 빈칸에 알맞은 단어를 [보기]에서 골라 쓰시오. (필요시 형태를 고칠 것)

| 보기 | reusable | meditate | abandon | suspicious | inconvenience |

11 He _____ his family and friends to achieve his goals.

그는 그의 목표를 이루기 위해서 가족과 친구들을 버렸다.

12 I hope the delayed flights don't cause you any _____.

비행기 연착이 당신에게 불편을 야기하지 않기를 바랍니다.

13 I decided to learn how to _____.

나는 명상하는 법을 배우기로 결심했다.

14 Make sure that you put _____ things into the recycling bins.

재활용이 가능한 것들은 반드시 재활용 통에 넣어라.

15 There's something _____ about her actions.

그녀의 행동에는 의심스러운 데가 있다.

C A : B = C : D의 관계가 되도록 알맞은 단어를 [보기]에서 골라 쓰시오.

| 보기 | inconvenience | abandon | meditate | artistic | suspicious |

16 move : movement = _____ : meditation

17 emotion : emotional = _____ : inconvenient

18 calorie-free : noncaloric = _____ : desert

19 honesty : honest = art : _____

20 regret : regretful = suspect : _____

Day **39**

DAY 40

◀) MP3 파일을 들으면서
단어를 따라 읽어보세요.

---

586 clearance
[klíərəns]

᠍명 정리, 정돈; 제거 (= removal)

The store had a **clearance** sale last week.
그 상점은 지난주에 _____ 세일을 했다.

➕ clear 형 맑은, 깨끗한
clearly 뷰 뚜렷하게

---

587 accomplish
[əkάmpliʃ]

᠍동 성취하다, 해내다 (= achieve)

It will be a long time before he **accomplishes** his goal.
그가 자신의 목적을 _____ 하기까지 오랜 시간이 걸릴 것이다.

➕ accomplishment 명 성취, 업적

발음주의

588 aisle
[ail]

aisle seats
통로 쪽 좌석

᠍명 통로 (= passageway)

He likes to sit in the seat next to the **aisle** in the theater.
그는 극장에서 _____ 자리에 앉는 것을 좋아한다.

---

589 forgetful
[fərɡétfəl]

형 잘 잊어버리는, 건망증이 있는

My mom has become more and more forgetful.
엄마는 점점 더 [   ] 있다.

➕ forget 동 잊다
　　 forgettable 형 쉽게 잊혀질

---

590 lick
[lik]

동 핥다

The dog jumped up and licked her face.
그 개는 뛰어올라 그녀의 얼굴을 [   ].

---

591 fume
[fju:m]

명 (일반적으로 pl.) 연기, 가스 (= smoke, gas)

Air pollution is getting worse because of automobile exhaust fumes.
자동차 배기 [   ] 때문에 대기오염이 점점 더 심각해지고 있다.

---

592 reptile
[réptail]

명 파충류

He keeps reptiles, such as snakes, iguanas and turtles.
그는 뱀, 이구아나, 거북이와 같은 [   ]를 키운다.

---

593 vibrate
[váibreit]

동 (가늘게) 떨다, 진동하다

The strings on a guitar vibrate when it is played.
기타가 연주될 때는 그 줄들이 [   ].

➕ vibration 형 (가는) 떨림, 진동

---

594 wrinkle
[ríŋkl]

명 주름(살)

She is still beautiful although her face is full of wrinkles when she smiles.
비록 웃을 때 얼굴에 [   ] 가득하지만, 그녀는 여전히 아름답다.

➕ wrinkleless 형 주름이 없는

Day 40

595 staple
□□
[stéipl]

basic staples
생필품

🅝 주요 산물, 기본 식품; 스테이플러 심

Rice is the most important staple of the diet of the Korean people.
쌀은 한국인 식단의 가장 중요한 ▨▨▨▨ 이다.

➕ stapler 🅝 스테이플러, 호치키스

---

596 hatred
□□
[héitrid]

🅝 증오, 혐오 (= dislike)

She lived with a hatred for those who had made her unhappy.
그녀는 자신을 불행하게 만든 사람들에 대한 ▨▨▨▨ 를 품고 살았다.

➕ hate 🅥 미워하다, 싫어하다
↔ love 🅝 사랑

강세주의

597 profitable
□□
[práfitəbl]

pro[forward]+fit[make]+able
만들어 앞에 내 놓을 수 있는
→ 수익성이 있는

🅗 수익성이 있는, 이익이 되는

Some of their new electronic products are highly profitable.
그들의 새로운 전자제품 중의 일부는 상당히 ▨▨▨▨.

➕ profit 🅝 이익 🅥 이익을 얻다

---

598 soak up
□□

빨아들이다, 흡수하다 (= absorb)

Use paper towels to soak up the oil.
종이 수건을 사용해서 기름을 ▨▨▨▨.

---

599 say to oneself
□□

혼잣말하다

"This is the real thing," he said to himself.
"이것은 진짜다."라고 그는 ▨▨▨▨.

---

600 (It is) No wonder
□□

~은 당연하다

It is no wonder that he failed.
그가 실패한 것은 ▨▨▨▨.

Get More   staple의 다양한 뜻

1 🅝 주요 산물
an American staple
미국의 주요 산물

2 🅝 스테이플러 심
a staple remover
스테이플러 심 제거 도구

DAY 40 Wrap-up Test

✎ ANSWERS p. 285

A 영어는 우리말로, 우리말은 영어로 쓰시오.

1	clearance	_____	6	주요 산물, 기본 식품 _____
2	profitable	_____	7	혼잣말하다 _____
3	vibrate	_____	8	흡수하다, 빨아들이다 _____
4	aisle	_____	9	증오, 혐오 _____
5	(It is) No wonder	_____	10	연기, 가스 _____

B 빈칸에 알맞은 단어를 [보기]에서 골라 쓰시오. (필요시 형태를 고칠 것)

보기	lick	accomplish	wrinkle	forgetful	reptile

11 She has become very _____ these days.
그녀는 요즘 건망증이 아주 심해졌다.

12 He has a lot of _____ on his neck.
그는 목에 주름이 많다.

13 _____ and amphibians have several things in common.
파충류와 양서류는 몇 가지 공통점을 가지고 있다.

14 The cat sat on the sofa, _____ its paws.
고양이는 발을 핥으면서 소파에 앉아 있었다.

15 I will _____ my purpose at any cost.
나는 무슨 일이 있어도 나의 목적을 달성할 것이다.

C 설명하는 단어를 [보기]에서 골라 쓰시오.

보기	clearance	hatred	profitable	vibrate	aisle

16 a strong feeling of dislike _____
17 to shake quickly and continuously _____
18 the removal of unwanted things from a place _____
19 resulting in or likely to result in a profit or advantage _____
20 a long passage between rows of seats in a church, plane or theater _____

DAY 36~40 Review Test

✎ ANSWERS p. 285

다음 우리말에 맞게 빈칸에 주어진 철자로 시작하는 단어를 쓰시오.

DAY 36

1 먹을 수 있는 음식   e_____ food
2 마음이 따뜻한 사람   a w_____ person
3 정당   a p_____ party
4 내야 안타   an i_____ hit
5 많은 분량   a large q_____
6 주장을 부인하다   d_____ a claim

DAY 37

7 규칙의 개요   a s_____ of the rules
8 간첩을 체포하다   c_____ a spy
9 일회용 면도기   a d_____ razor
10 강당   a l_____ hall
11 정치 이론   a political t_____
12 비밀을 캐다   p_____ a secret

DAY 38

13 터무니없는 실수들   a_____ mistakes
14 진주 목걸이   a pearl n_____
15 눅눅한 공기   h_____ air
16 탐욕과 질투   g_____ and envy
17 천연 살충제   natural p_____s
18 정중한 사과   a graceful a_____

DAY 39

19 꼭 봐야 하는 곳들   m_____ places
20 의심스러운 상황   s_____ situations
21 붕대를 감다   apply a b_____
22 예술적인 표현들   a_____ expressions
23 재사용할 수 있는 용기들   r_____ containers
24 깊이 명상하다   m_____ deeply

DAY 40

25 빈민가 철거   slum c_____
26 수익성 있는 사업   a p_____ business
27 눈가의 주름들   w_____s around the eyes
28 전쟁에 대한 혐오감   a h_____ of war
29 5번 통로 끝에   at the end of a_____ five
30 유독 가스   poisonous f_____s

Zoom In

measles
홍역

예 The nurse gave my young brother a **measles** injection.
간호사가 내 남동생에게 홍역 예방 주사를 놓았다.

diabetes
당뇨병

예 Major symptoms of **diabetes** are excessive thirst and fatigue.
당뇨병의 대표적인 증상은 심한 갈증과 피로감이다.

rabies
광견병

예 I had my dog vaccinated against **rabies** yesterday.
나는 어제 나의 애완견에게 광견병 예방 접종을 했다.

the blues
우울증 (= depression)

예 She has got **the blues**.
(= She has suffered from depression.)
그녀는 우울증에 걸렸다.

rickets
구루병

예 A diet deficient in vitamin D may cause the disease **rickets**.
비타민 D가 부족한 식단은 구루병을 발생시킬 수 있다.

the snuffles
코감기

예 Some of my classmates get **the snuffles**.
우리 반 친구들 몇몇은 코감기에 걸렸다.

the shakes
수전증, 오한

예 He has got a severe case of **the shakes**.
그는 수전증이 아주 심한 경우이다.

diarrhea
설사

예 The spicy noodles gave me **diarrhea**.
나는 매운 국수를 먹고 설사를 했다.

cough
기침

예 I had a bad **cough** after the camping.
나는 캠핑을 다녀온 후에 기침을 심하게 했다.

sinus infection
축농증

예 I had a **sinus infection** when I was young.
나는 어렸을 때 축농증을 앓았다.

DAY 41

이집트에 architecture에 뛰어난 사람이 살고 있었어요.

어느 날 왕이 그에게 왕국을 위한 sculpture를 제작할 것을 명령했어요.

그 명령은 그에게 riddle처럼 느껴졌어요.

그 결과 탄생한 sculpture들은 우리에게 riddle로 남았답니다.

🔊 MP3 파일을 들으면서 단어를 따라 읽어보세요.

---

601 rhyme
[raim]

명 (시의) 운, 각운

A **rhyme** is a word which ends with the same sound as another word.
░░░░░ 이란 다른 낱말과 같은 소리로 끝나는 말이다.

강세주의

602 immigrate
[íməgrèit]

im[into]+migr[move]+ate
이사하여 들어오다 → 이주하다

동 이주하다 (= migrate); 이민을 오다

When I was three, my family **immigrated** to the United States.
내가 3살 때 우리 가족은 미국으로 ░░░░░.

➕ immigrant 명 이민, 이주자
　immigration 명 이주
↔ emigrate 동 이민을 가다

---

603 concrete
[kánkri:t]

형 구체적인 (= specific); 콘크리트로 만든

We need **concrete** evidence to prove his guilt.
우리는 그의 유죄를 입증할 ░░░░░ 증거가 필요하다.

↔ abstract 형 추상적인

---

184 Part Ⅱ 필수 어휘로 내신 다지기

604 mound
[maund]

shell mounds
조개더미

몡 (무덤·폐허 등의) 흙[돌]더미; 고분; 투수판

They checked whether it is an ancient mound or not.
그들은 그것이 고대의   인지 아닌지 확인했다.

---

605 memorable
[mémərəbl]

혱 기억할 만한, 기억에 남는, 인상적인

Before this season was over, I went on a memorable train journey.
이 계절이 끝나기 전에 나는   기차여행을 다녀왔다.

➕ memorize 툉 기억하다
↔ unmemorable 혱 기억할 만한 것이 못되는

---

606 pandemic
[pændémik]

몡 전국적인 유행병
혱 병이 전국적으로 유행하는; 일반적인

Millions of people died in the flu pandemic.
수백만 명의 사람들이   독감으로 죽었다.

↔ endemic 혱 풍토병의

---

607 sit-up
[sítʌ̀p]

몡 윗몸 일으키기

I do 30 sit-ups and 30 push-ups every day.
나는 매일   30번과 팔굽혀 펴기 30번을 한다.

---

608 riddle
[rídl]

몡 수수께끼 (= puzzle)

Have you ever solved English riddles?
영어로 된   를 풀어본 적이 있니?

발음주의

609 architecture
[ɑ́ːrkətèktʃər]

몡 건축 (= building, construction), 건축학

She studied architecture in Paris.
그녀는 파리에서   을 공부했다.

➕ architect 몡 건축가

Day 41

610 diverse
[daivə́ːrs]

di[aside]+verse[turn]
다른 방향으로 전환한 → 다른

형 다른, 다양한 (= various)

The magazine covers topics as diverse as chemistry and sculpture.
그 잡지는 화학과 조각에 걸친 ▨▨▨▨ 주제를 다룬다.

➕ diversity 명 다양성
　 diversion 명 전환

---

611 sculpture
[skʌ́lptʃər]

명 조각 (작품) (= statue)
동 조각하다

The sculptures are being displayed in the gallery.
▨▨▨▨ 은 화랑에서 전시되고 있다.

➕ sculptor 명 조각가

---

612 fate
[feit]

명 운명 (= destiny)

He blamed fate whenever he failed to do something.
그는 무엇인가 실패할 때마다 ▨▨▨▨ 을 탓했다.

➕ fateful 형 운명적인
　 fatal 형 치명적인

---

613 see off

배웅하다

They've gone to the airport to see their daughter off.
그들은 딸을 ▨▨▨▨ 공항에 갔다.

---

614 get under way

시작하다 (= begin)

The trial about the case of murder is scheduled to get under way today.
그 살인사건에 대한 재판이 오늘 ▨▨▨▨ 예정이다.

---

615 pass out

기절하다 (= faint)

She passed out when she heard the news.
그녀는 그 소식을 듣고 ▨▨▨▨ .

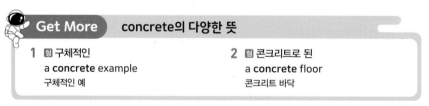

Get More　concrete의 다양한 뜻

1 형 구체적인
a concrete example
구체적인 예

2 형 콘크리트로 된
a concrete floor
콘크리트 바닥

✐ ANSWERS p. 286

A 영어는 우리말로, 우리말은 영어로 쓰시오.

1	fate	_____	6	흙[돌]더미, 고분, 투수판	_____
2	concrete	_____	7	수수께끼	_____
3	see off	_____	8	시작하다	_____
4	pass out	_____	9	전국적인 유행병	_____
5	rhyme	_____	10	윗몸 일으키기	_____

B 빈칸에 알맞은 단어를 [보기]에서 골라 쓰시오. (필요시 형태를 고칠 것)

보기	architecture	diverse	sculpture	memorable	immigrate

11 This is the most _____ book I have ever read.

이것이 내가 이제까지 읽은 책들 중에서 가장 기억에 남는 책이다.

12 She made this _____ for herself.

그녀는 이 조각 작품을 혼자 만들었다.

13 I have been interested in _____ since I was young.

나는 어렸을 때부터 건축에 관심이 있었다.

14 She _____ here from Russia five years ago.

그녀는 5년 전에 러시아에서 이곳으로 이민을 왔다.

15 The newspaper aims to cover a(n) _____ range of issues.

그 신문은 다양한 종류의 문제들을 다루는 것을 목표로 한다.

C 설명하는 단어를 [보기]에서 골라 쓰시오.

보기	fate	architecture	pandemic	diverse	mound

16 very different from each other   _____

17 the art and science of designing and making buildings   _____

18 a pile of dirt, sand or stones that looks like a small hill   _____

19 a power that is believed to control what happens in   _____
   your life

20 a disease that affects people over a very large area   _____
   or the whole country

DAY 42

저에게 그것보다 더 worthwhile한 일은 없는 거 같아요.

저는 지난주에 orphanage를 방문했었어요.

아이들과 놀아주고, 숙제도 도와줬어요.

아이들이 행복해하니 저도 기뻤어요.

◀)) MP3 파일을 들으면서 단어를 따라 읽어보세요.

---

616 violate
[váiəlèit]

동 (법을) 어기다, 위반하다 (= break, disobey)

The candidate was arrested for violating the election law.
그 후보는 선거법 ▒▒▒▒ 으로 구속되었다.

➕ violation 명 위반
↔ observe 동 (법을) 준수하다

---

617 historian
[histɔ́:riən]

명 역사학자

The historian is writing a book on the prehistoric age.
그 ▒▒▒ 는 선사시대에 관한 책을 쓰고 있다.

➕ history 명 역사
historical 형 역사적인

---

618 credible
[krédəbl]

형 믿을 수 있는, 믿을 만한 (= believable)

The story that he told me the day before yesterday sounded credible.
그가 그저께 나에게 했던 이야기는 ▒▒▒▒ 하게 들렸다.

➕ credibility 명 신용
↔ incredible 형 믿을 수 없는

---

619 alternate
[ɔ́:ltərnèit]

동 번갈아 일어나다, 교대시키다
형 번갈아 하는, 교대의

Good luck will **alternate** with misfortune.
행운과 불행은   .

✚ alter 동 바꾸다
　alternative 명 대안, 양자택일

620 stroke
[strouk]

명 타격, 치기 (= blow); (뇌졸중 등의) 발작

He won the game by only two **strokes**.
그는 단 두 번의   으로 그 경기를 이겼다.

✚ strike 동 (세게) 치다, 부딪치다

621 groundsheet
[gráundʃìːt]

명 방수(防水) 깔개

A **groundsheet** is a kind of waterproof material.
     는 일종의 방수 재료이다.

622 fake
[feik]

형 가짜인, 위조의 (= artificial)
명 모조품
동 위조하다; 속이다

fake money
위조 지폐

She bought a **fake** diamond ring by accident.
우연히 그녀는   다이아몬드 반지를 사게 되었다.

↔ real, genuine 형 진짜의

발음주의

623 orphanage
[ɔ́:rfənidʒ]

명 고아원

After the death of his parents, he was raised in an **orphanage**.
부모님이 돌아가신 후에 그는   에서 자랐다.

✚ orphan 명 고아

624 commodity
[kəmádəti]

명 상품, 물품 (= product, goods)

The prices of **commodities** have kept on rising since last year.
     가격이 작년부터 계속 오르고 있다.

Day
42

625 worthwhile
[wə̀ːrθhwáil]

형 가치가 있는 (= useful)

He always wants to do some **worthwhile** work.
그는 항상 어떤 [   ] 일을 하기를 원한다.

➕ worth 형 ~의 가치가 있는 명 가치, 진가
worthy 형 가치 있는; 훌륭한

---

626 tale
[teil]

fairy tale
동화

명 이야기, 설화 (= story)

These **tales** have become known as Aesop's fables.
이 [   ] 들은 이솝 우화로 알려지게 되었다.

---

627 complicate
[kámpləkèit]

com[together]+plic[fold]+ate
포개지다 → 복잡하게 하다

통 복잡하게 만들다

His appearance **complicated** the situation.
그의 등장이 상황을 [   ].

➕ complication 명 복잡함; 문제

---

628 hold back

참다, 자제하다 (= control); 망설이다

I was too angry to **hold back** my tears.
나는 너무 화가 나서 눈물을 [   ] 없었다.

---

629 move into

~로 이사하다

We are going to **move into** a new apartment next week.
우리는 다음 주에 새 아파트로 [   ] 예정이다.

---

630 account for

차지하다 (= occupy); 설명하다 (= explain)

Spending on education **accounts for** a large part of household expenditures.
교육비가 가계 지출 중 큰 비중을 [   ].

Get More　　stroke의 다양한 뜻

1 명 뇌졸중, (뇌졸중 등의) 발작
have a **stroke**
뇌졸중을 일으키다

2 명 (시계 · 종 등의) 치기, 울리는 소리
at the **stroke** of three
정각 세 시에

✎ ANSWERS p. 286

A 영어는 우리말로, 우리말은 영어로 쓰시오.

1 hold back _____
2 account for _____
3 complicate _____
4 groundsheet _____
5 historian _____

6 가짜인, 모조품, 속이다 _____
7 ~로 이사하다 _____
8 상품, 물품 _____
9 이야기, 설화 _____
10 가치가 있는 _____

B 빈칸에 알맞은 단어를 [보기]에서 골라 쓰시오. (필요시 형태를 고칠 것)

| 보기 | credible | fake | orphanage | stroke | violate |

11 Students who _____ the rules will be punished.
규칙을 위반하는 학생들은 처벌받을 것이다.

12 He told me that the old woman was a(n) _____ witness.
그는 그 노부인이 믿을 만한 증인이라고 나에게 말했다.

13 I heard the heavy _____ of the branch against the window.
나는 나뭇가지가 창문에 세게 부딪치는 소리를 들었다.

14 She was wearing a(n) _____ mustache to disguise herself as
a man. 그녀는 남자로 위장하기 위해 가짜 콧수염을 하고 있었다.

15 I have done volunteer work at the _____ in the past few years.
나는 지난 몇 년 동안 고아원에서 자원 봉사를 해왔다.

Day **42**

C A : B = C : D의 관계가 되도록 알맞은 단어를 [보기]에서 골라 쓰시오.

| 보기 | fake | stroke | tale | historian | complicate |

16 violate : break = story : _____
17 credible : incredible = real : _____
18 appearance : appear = complication : _____
19 commodity : goods = blow : _____
20 music : musician = history : _____

DAY 43

요새 기운도 없고 아무 것도 하기 싫어…
심신을 recharge하는 게 필요한 것 같은데?

Appetite마저 없어진 것 같아.

병원을 가보는 건 어때?

🔊 MP3 파일을 들으면서 단어를 따라 읽어보세요.

---

631 **recharge**
[riːtʃáːrdʒ]

동 재충전하다; 재고발하다

It takes about an hour for this battery to recharge.
이 전지는 ▒▒▒▒▒ 데 약 1시간 정도가 걸린다.

➕ charge 동 (요금·값을) 청구하다; 임무를 맡기다

---

632 **reliable**
[riláiəbl]

형 믿을 수 있는 (= dependable)

Steve is not only reliable but also competent.
Steve는 ▒▒▒▒ 뿐만 아니라 능력도 있다.

➕ rely 동 믿다, 의지하다
reliance 명 신뢰; 의지할 것
↔ unreliable 형 믿을 수 없는

reliable friends
믿을 수 있는 친구

---

633 **vegetate**
[védʒətèit]

동 하는 일 없이 지내다; 식물처럼 생장하다

I do not understand how you can vegetate in this quiet village after your adventurous life.
나는 네가 모험이 가득한 삶을 산 후에 어떻게 이 조용한 마을에서 ▒▒▒▒▒ 이해가 안 된다.

➕ vegetation 명 초목; 식물

---

634 snap
[snæp]

snap-snapped-snapped

통 (딱하고) 부러뜨리다; 홱 잡다

He **snapped** off branches aimlessly.
그는 하릴없이 가지들을 ▓▓▓▓▓.

---

635 insure
[inʃúər]

in[make]+sure[free from care]
근심없게 하다 → 안전하게 하다

통 보험에 들다; 보증하다 (= guarantee);
안전하게 하다

We **insured** our house against fire and flood damage.
우리는 화재와 홍수 피해에 대비하여 집에 대한 ▓▓▓▓▓.

➕ insurance 명 보험

---

636 chop
[tʃɑp]

chop-chopped-chopped

통 (고기·야채 등을) 잘게 썰다

The cook is **chopping** the vegetables like cabbage, onions and a carrot.
그 요리사는 양배추, 양파, 당근 같은 채소들을 ▓▓▓▓▓ 있다.

강세주의

637 facilitate
[fəsílətèit]

통 용이하게 하다 (= ease); 촉진하다

Computers can be used to **facilitate** language learning.
컴퓨터는 언어학습을 ▓▓▓▓▓ 데 사용될 수 있다.

➕ facility 명 시설, 설비
facilitation 명 용이하게 함, 촉진

Day
43

---

638 appetite
[ǽpitàit]

ap[to]+pet[seek]+ite
추구함 → 욕구

명 식욕; 욕망 (= desire)

She has lost her **appetite** since she broke up with her boyfriend.
그녀는 남자친구와 헤어진 후로 ▓▓▓▓▓ 을 잃었다.

---

639 bump
[bʌmp]

통 (쾅) 부딪치다, 충돌하다 (= hit)

Be careful not to **bump** your head against the wall.
벽에 머리를 ▓▓▓▓▓ 않게 조심해라.

➕ bumper 명 범퍼, 완충기

640 anecdote
[ǽnikdòut]

명 일화 (= story, tale)

He told us all kinds of humorous anecdotes about his childhood in Japan.
그는 우리에게 일본에서 보낸 어린 시절에 대한 여러 가지 재미있는 ▨▨▨ 을 말해주었다.

641 clue
[klu:]

명 단서 (= hint), 실마리

The police have found a vital clue to the identity of the thief.
경찰은 도둑의 신원에 대한 중요한 ▨▨▨ 를 발견했다.

puzzle clues
퍼즐의 단서

642 dip
[dip]

dip–dipped–dipped

동 (액체에) 살짝 담그다, 적시다 (= immerse)

We dipped our toes into the water to see how cold it was.
우리는 물이 얼마나 차가운지 알아보려고 발가락을 물에 ▨▨▨.

643 make contact

연락이 되다, 접촉하다 (= reach)

I've been calling him for weeks but I still haven't made contact.
나는 몇 주째 그에게 전화하고 있지만 여전히 ▨▨▨ 않고 있다.

644 at a time

한 번에, 동시에 (= at the same time)

You can check out more than three books at a time at this library.
당신은 이 도서관에서 ▨▨▨ 3권 이상 대출할 수 있다.

645 make up with

~와 화해하다 (= be reconciled)

I wish I could make up with him.
그와 ▨▨▨ 수 있다면 좋을 텐데.

 Get More dip vs. soak

1 dip 동 살짝 담그다
dip one's foot into the pool
웅덩이에 발을 살짝 담그다

2 soak 동 푹 젖게 하다
soak a tea bag in hot water
차 봉지를 뜨거운 물에 담그다

✎ ANSWERS p. 286

A 영어는 우리말로, 우리말은 영어로 쓰시오.

1	make up with	_____	6	(쾅) 부딪치다, 충돌하다	_____
2	facilitate	_____	7	(액체에) 살짝 담그다	_____
3	reliable	_____	8	연락이 되다, 접촉하다	_____
4	at a time	_____	9	식물처럼 성장하다	_____
5	appetite	_____	10	보험에 들다, 보증하다	_____

B 빈칸에 알맞은 단어를 [보기]에서 골라 쓰시오. (필요시 형태를 고칠 것)

보기	chop	clue	anecdote	snap	recharge

11 The book is full of funny _____ from his trip.
그 책은 그가 여행 중에 겪었던 재미있는 일화들로 가득차 있다.

12 The police are still looking for _____ about the missing boy.
경찰은 행방불명된 소년에 대한 단서들을 계속해서 찾고 있는 중이다.

13 He plugged his cell phone in to _____ it.
그는 휴대전화기를 재충전하기 위해 플러그를 꽂았다.

14 _____ the carrots up into small pieces.
당근들을 잘게 썰어라.

15 The boy _____ a wing off his toy airplane.
소년은 장난감 비행기의 날개 하나를 뚝하고 부러뜨렸다.

C 관계있는 것끼리 선으로 연결하시오.

16 reliable •   • ⓐ a desire to eat food out of hunger

17 snap •   • ⓑ able to be trusted or depended on

18 facilitate •   • ⓒ to break quickly with a short, sharp sound

19 appetite •   • ⓓ to make it easier for a process or activity to happen

20 clue •   • ⓔ an object or piece of information that helps someone solve a crime or mystery

Day
43

DAY 44

너 영화보러 갈 때 왜 여동생을 deceive한거니?

그게 동생을 따라오지 못하게 만드는 가장 effective한 방법이었어.

그 영화는 아주 무서운 영화라서 너를 thrill하게 할 거야!

이런, 진짜로 무서운 영화였잖아…

🔊 MP3 파일을 들으면서 단어를 따라 읽어보세요.

---

646 **diagonal**

[daiǽgənl]

diagonal lines
대각선

형 대각선의; 비스듬한

Make two triangles by drawing a diagonal line.

▨▨▨▨을 그어 두 개의 삼각형을 만들어라.

➕ diagonally 🖣 대각선으로; 비스듬하게

---

647 **deceive**

[disíːv]

de[away]+ceive[take]
빼앗다 → 속이다

동 속이다 (= cheat, trick)

I knew that the two men were trying to deceive me.

나는 그 두 남자가 나를 ▨▨▨▨고 있다는 것을 알고 있었다.

➕ deceit 명 속임수, 사기

---

648 **checkup**

[tʃékʌp]

명 건강검진 (= physical examination)

It's important to have regular checkups in order to stay healthy.

건강을 유지하기 위해서는 정기 ▨▨▨▨을 받는 것이 중요하다.

---

649 decisive
[disáisiv]

형 결정적인 (= crucial); 단호한

She has played a decisive role in winning the game.
경기에서 이기는 데 그녀가 ▨▨▨ 역할을 했다.

➕ decide 동 결심하다, 결정하다
decision 명 결정

---

650 thrill
[θril]

명 전율 (= excitement), 떨림
동 오싹하게 하다; 감동시키다, 황홀하게 하다

It was a thrill when she saw the musical for the first time.
그녀는 뮤지컬을 처음 봤을 때 ▨▨▨ 을 느꼈다.

---

651 statue
[stǽtʃuː]

명 조각상 (= sculpture)

The statue of Admiral Lee Sun-shin stands at Gwanghwamun.
광화문에는 이순신 장군의 ▨▨▨ 이 서 있다.

---

652 effective
[iféktiv]

형 효과적인

It is said that laughter is the most effective way to deal with stress.
웃음은 스트레스를 해소하는 가장 ▨▨▨ 방법이라고 한다.

➕ effect 명 결과; 영향, 효과
effectively 부 효과적으로
↔ ineffective 형 효과 없는

---

653 halfway
[hǽfwèi]

부 중도에 (= midway)
형 중간의, 어중간한

I turned back halfway because of heavy rain.
나는 폭우 때문에 ▨▨▨ 돌아왔다.

---

654 digestive
[didʒéstiv, daidʒéstiv]

형 소화의, 소화력 있는

My mother often suffers from digestive trouble.
엄마는 자주 ▨▨▨ 불량으로 고생하신다.

digestive organs
소화 기관

➕ digest 동 (음식을) 소화하다
digestion 명 소화
↔ indigestive 형 소화불량의

655 cashier
[kǽʃiər]

명 (은행·상점 등의) 출납원

The police have released a CCTV image of the man who robbed a supermarket cashier.

경찰은 슈퍼마켓   에게서 돈을 훔쳐간 남자의 CCTV 화면을 공개했다.

➕ cash 명 현금 동 현금으로 바꾸다

656 crane
[krein]

명 기중기, 크레인; 학, 두루미

The crane is lifting materials to the upper floors.

     가 위층으로 자재들을 들어 올리고 있다.

657 guideline
[gáidlàin]

명 (공공기관이 제시한) 가이드라인,
    지침 (= instruction)

The Ministry of Education announced the 8th curriculum guidelines last week.

교육부는 지난주에 8차 교육과정   을 발표했다.

658 put into practice

실행하다 (= carry out)

The plan was put into practice in spite of all the difficulties.

온갖 어려움에도 불구하고 계획은   .

659 be dangerous for

~에게 위험하다

Falling into cold water can be dangerous for even a good swimmer.

수영에 능숙한 사람조차도 차가운 물에 빠질 경우   수 있다.

660 make a tour of

~을 순회하다, 관광하다 (= travel)

I am planning to make a tour of Europe with nothing but a backpack this summer.

나는 이번 여름에 배낭만 하나 메고 유럽을   할 계획 이다.

Get More   statue *vs.* status

1 **statue** 명 조각상
  a bronze **statue** 동상(銅像)
  the **Statue** of Liberty 자유의 여신상

2 **status** 명 지위, 신분; 상태
  diplomatic **status** 외교관 신분
  credit **status** 신용 상태

✎ ANSWERS p. 286

A 영어는 우리말로, 우리말은 영어로 쓰시오.

1	checkup	_____	6	속이다 _____
2	put into practice	_____	7	~을 순회하다, 관광하다 _____
3	digestive	_____	8	대각선의, 비스듬한 _____
4	guideline	_____	9	~에게 위험하다 _____
5	cashier	_____	10	전율, 오싹하게 하다 _____

B 빈칸에 알맞은 단어를 [보기]에서 골라 쓰시오. (필요시 형태를 고칠 것)

보기	effective	decisive	statue	crane	halfway

11 He stopped _____ up the stairs.

그는 계단을 반쯤 올라가다가 멈췄다.

12 It is a simple but highly _____ treatment.

이것은 간단하지만 아주 효과적인 치료법이다.

13 The huge rocks were lifted by a(n) _____.

크레인을 이용해서 큰 바위들을 들어 올렸다.

14 There used to be a(n) _____ in front of the building.

예전에 그 건물 앞에 동상이 있었다.

15 Our team had a(n) _____ victory by winning 10 to 2.

우리 팀이 10대 2로 이김으로써 결정적인 승리를 거두었다.

C 괄호 안에서 알맞은 말을 골라 빈칸에 쓰시오.

16 His testimony was _____ in the trial.
(decision / decisive)

17 Her parents punished her for trying to _____ them.
(deceive / deceit)

18 Children have to learn to communicate _____.
(effective / effectively)

19 Most babies can _____ a wide range of food easily.
(digestive / digest)

20 Do you want to pay in _____ or by credit card?
(cash / cashier)

와, 저기 젖소들 좀 봐!

들판에서 graze하고 있어.

■) MP3 파일을 들으면서
단어를 따라 읽어보세요.

그래서 우리가 신선한 우유를 squeeze해서 먹을 수 있는 거야.

저렇게 신선한 풀을 먹고 있으니 젖소들은 튼튼하겠지?

---

661 **cone**
[koun]

명 원뿔; (소나무 등의) 방울

On my birthday, my friends all wore cone
hats and sang "Happy Birthday."

생일날 내 친구들 모두 [____] 모자를 쓰고 '생일축하 노래'를
불러주었다.

➕ conic 형 원뿔의

---

662 **throne**
[θroun]

명 왕좌, 옥좌

He was removed from the throne because
he was a bad king.

그는 나쁜 왕이었기 때문에 [____] 에서 쫓겨났다.

➕ enthrone 동 왕좌에 앉히다

강세주의

663 **immune**
[imjúːn]

형 면역성이 있는; 면제된

Laughter can boost your immune system.

웃음은 [____] 체계를 향상시킬 수 있다.

➕ immunity 명 면역력; 면제

---

664 bare
[bɛər]

bare feet
맨발

혱 벌거벗은, 맨 (= naked, nude)
툉 (신체 일부를) 드러내다

He taught me how to catch fish with my bare hands.
그는 나에게 ▨▨▨▨ 손으로 물고기를 잡는 법을 가르쳐 주었다.

➕ barely 閉 겨우, 가까스로
↔ dressed 혱 옷을 입은

---

665 flare
[flɛər]

툉 (불이) 확 타오르다 (= blaze)
명 확 타오르는 불길

The candle flared and then flickered.
촛불이 ▨▨▨▨ 나서 깜박거렸다.

---

666 squeeze
[skwi:z]

툉 압착하다, 짜내다; 쥐다

He took off his wet clothes and squeezed the water out.
그는 젖은 옷을 벗어서 물을 ▨▨▨▨.

➕ squeezer 명 압착기

---

667 graze
[greiz]

툉 (가축이) 풀을 뜯어먹다
명 스치기; 긁힌 상처

Ten sheep were grazing peacefully.
10마리의 양들이 평화롭게 ▨▨▨▨ 있었다.

---

668 freak
[fri:k]

명 열광자, ~광 (= buff); 이상 현상

Sam belongs to a club for fitness freaks.
Sam은 몸매 관리 ▨▨▨▨ 을 위한 클럽에 속해 있다.

발음주의

669 forensic
[fərénsik]

혱 법의학적인; 법정의

A forensic doctor is a person who helps the police investigate crimes.
▨▨▨▨ 의사는 경찰이 범죄를 수사하는 데 도움을 주는 사람이다.

670 scoop
[sku:p]

ice cream scoop
아이스크림 주걱

명 국자 (= ladle); 큰 숟가락
동 푸다, 뜨다

He used a scoop to pour coffee beans into a bag.
그는   을 사용해서 커피콩을 봉지에 담았다.

✚ scoopful 명 한 국자 분량

671 literal
[lítərəl]

형 문자 그대로의

I am clearly not using the word in its literal sense.
나는 분명히   뜻으로 그 단어를 사용한 것이 아니다.

✚ literally 부 문자 그대로
↔ figurative 형 비유적인

672 summarize
[sʌ́məràiz]

동 요약하다 (= sum up)

The authors summarize their views in the introduction.
저자들은 그들의 견해를 서문에   .

✚ summary 명 요약, 개요 형 요약한, 약식의
    summarization 명 요약, 개괄

673 ought to

~해야 한다 (= should)

You ought to translate this word into Korean.
너는 이 단어를 한글로 해석   .

674 do harm to

~에게 해를 입히다 (= do damage to)

The method in itself does no harm to us.
그 방법 자체는 우리에게   않는다.

675 even though

비록 ~일지라도 (= even if)

It is worth trying even though we fail.
비록 실패한다고   시도해볼 가치가 있다.

 Get More   literal *vs.* liberal

1 literal 형 문자 그대로의
   a literal translation 직역

2 liberal 형 자유주의의
   liberal democracy 자유 민주주의

DAY 45 Wrap-up Test

✎ ANSWERS p. 287

A 영어는 우리말로, 우리말은 영어로 쓰시오.

1 even though   _____

2 cone   _____

3 bare   _____

4 ought to   _____

5 throne   _____

6 ~에게 해를 입히다   _____

7 법의학적인, 법정의   _____

8 문자 그대로의   _____

9 (불이) 확 타오르다   _____

10 열광자, ~광   _____

B 빈칸에 알맞은 단어를 [보기]에서 골라 쓰시오. (필요시 형태를 고칠 것)

보기	summarize	scoop	graze	squeeze	immune

11 He took out rice with a(n) _____.
그는 국자로 쌀을 퍼냈다.

12 He had me _____ the last paragraph.
그는 나에게 마지막 단락을 요약하도록 시켰다.

13 Cut the lemon in half and _____ the juice into the bowl.
레몬을 반으로 잘라 그릇에 즙을 짜라.

14 Several horses were _____ on the lush grass.
말 몇 마리가 풀이 무성한 초원에서 풀을 뜯어먹고 있었다.

15 Moderate exercise strengthens the _____ system.
적당한 운동은 면역력을 강화시킨다.

C 괄호 안에서 알맞은 말을 골라 빈칸에 쓰시오.

16 (immune / immunity)
  ⓐ an _____ body
  ⓑ _____ to infection

17 (bare / barely)
  ⓐ _____ escape death
  ⓑ _____ hands

18 (scoop / scoopful)
  ⓐ a cheese _____
  ⓑ a _____ of flour

19 (squeeze / squeezer)
  ⓐ a good orange _____
  ⓑ _____ pimples

20 (summarize / summary)
  ⓐ a _____ of the book
  ⓑ _____ the body of the book

Day
45

✎ ANSWERS p. 287

다음 우리말에 맞게 빈칸에 주어진 철자로 시작하는 단어를 쓰시오.

DAY 41

1 기억에 남는 연주회   a m_____ concert
2 조각 전시회   an exhibition of s_____s
3 수수께끼를 풀다   answer a r_____
4 구체적인 제안   a c_____ proposal
5 다양한 관심사   d_____ interests
6 슬픈 운명   a sad f_____

DAY 42

7 법을 위반하다   v_____ a law
8 믿을 수 있는 진술   a c_____ statement
9 가치 있는 활동   a w_____ activity
10 고아원을 세우다   build an o_____
11 위조 여권   a f_____ passport
12 민간설화, 전설   a folk t_____

DAY 43

13 교통 카드를 충전하다   r_____ a bus card
14 믿을 수 있는 사람   a r_____ person
15 화재보험에 들다   i_____ against fire
16 통신을 용이하게 하다   f_____ communication
17 식욕을 돋우다   give an a_____
18 붓을 페인트에 적시다   d_____ the brush into the paint

DAY 44

19 대리석으로 만든 조각상   a s_____ in marble
20 매년 하는 건강검진   an annual c_____
21 결정적인 요소   a d_____ factor
22 대각선   a d_____ line
23 소화 과정   the d_____ process
24 지침을 따르다   follow g_____s

DAY 45

25 원뿔 모양 지붕   a c_____-shaped roof
26 왕위에 오르다   sit on the t_____
27 면역 반응   an i_____ reaction
28 드러낸 어깨   b_____ shoulders
29 컴퓨터 광   a computer f_____
30 생강즙을 짜내다   s_____ juice from ginger

Zoom In

1. 학과 이름

economics
경제학

예 He seems to know a lot about **economics**.
그는 경제학에 대해 많이 아는 것 같다.

linguistics
언어학

예 He is an expert in **linguistics**.
그는 언어학의 전문가이다.

statistics
통계학

예 **Statistics** is a branch of mathematics.
통계학은 수학의 한 분야이다.

politics
정치학

예 **Politics** is the subject that he majors in.
정치학은 그가 전공하고 있는 과목이다.

2. 게임 이름

billiards
당구

예 Ms. Gang has been playing **billiards** for five years as a professional.
강 선수는 5년간 프로 선수로 당구를 쳐왔다.

cards
카드놀이

예 My husband and I sometimes play **cards** after dinner.
남편과 나는 저녁식사 후에 종종 카드놀이를 한다.

dominoes
도미노

예 A group of young boys sat playing **dominoes**.
한 무리의 어린 소년들이 앉아서 도미노 놀이를 하고 있었다.

3. 의류 및 기구

shorts
반바지

예 I found the **shorts** that I looked for in the attic.
다락에서 내가 찾던 반바지를 찾았다.

clippers
깎는 도구, 가위

예 I need new nail **clippers**.
나는 새 손톱깎기가 필요하다.

binoculars
쌍안경

예 I want to buy a pair of **binoculars** before the trip to Italy.
나는 이탈리아 여행을 가기 전에 쌍안경을 사고 싶다.

DAY **46**

🔊 MP3 파일을 들으면서
단어를 따라 읽어보세요.

와, 이 그림은 정말 멋지네요!

이 그림은 myth를 기반으로 해서 그려졌다고 해요.

많은 artwork들이 그리스와 로마 myth를 바탕으로 제작되었어요.

---

676 **hallway**
[hɔ́ːlwèi]

⬜⬜

명 복도 (= corridor); 현관

Look at the hallway bulletin!
▨▨▨▨ 게시판을 보시오!

강세주의

677 **synthesize**
[sínθəsàiz]

⬜⬜

동 종합하다; 합성하다

You can synthesize sounds with this software.
이 소프트웨어로 소리를 ▨▨▨▨ 수 있다.

➕ synthesis **명** 종합; 합성
↔ divide **동** 분리시키다, 나누다

---

678 **earmuff**
[íərmʌ̀f]

⬜⬜

명 (일반적으로 pl.) 귀마개

Earmuffs protect your ears in winter.
겨울에 ▨▨▨▨ 로 귀를 보호한다.

earmuffs
귀마개

---

679 anthem
[ǽnθəm]

명 찬가, 축가

Every country has a national anthem.
모든 나라는 그 나라의 ▨▨▨ 가 있다.

---

680 theme
[θiːm]

명 테마, 주제 (= subject)

Let's go to the theme park!
▨▨▨ 동산에 가자!

➕ themeless 형 주제가 없는

---

681 briefcase
[bríːfkèis]

명 서류 가방

I found documents in the briefcase.
▨▨▨ 안에서 서류들을 찾았다.

---

682 tease
[tiːz]

동 괴롭히다 (= bother, torment), 놀리다

Stop teasing me!
날 그만 ▨▨▨!

---

683 myth
[miθ]

명 신화; 이야기

He loves the ancient Greek myths.
그는 고대 그리스 ▨▨▨ 를 좋아한다.

➕ mythical 형 신화의; 가공의
mythology 명 신화

Day
46

---

684 waterproof
[wɔ́tərprùːf]

형 방수의 (= water-resistant)
명 방수

My new jacket is waterproof.
새로 산 점퍼는 ▨▨▨.

waterproof camera
방수 카메라

685 nag
[næg]

nag-nagged-nagged

동 잔소리하다, 들볶다

My mom never stops **nagging** me.
엄마는 나에게 |||||||||||| 를 멈추지 않는다.

➕ nagging 형 잔소리가 심한

발음주의

686 breathtaking
[bréθtèikiŋ]

형 숨 막힐 듯한, 아슬아슬한 (= thrilling, exciting)

It was a **breathtaking** match!
정말 |||||||||||| 경기였어!

↔ boring 형 지루한

---

687 artwork
[á:rtwə̀:rk]

명 미술품, 예술작품

He collects **artwork** from galleries.
그는 미술관에서 |||||||||||| 을 수집한다.

---

688 side to side

좌우로, 양쪽으로

The boat is moving **side to side**.
배가 |||||||||||| 흔들리고 있다.

---

689 at that time

그 당시에는, 그 때에는

At that time, I thought I could do it.
||||||||||||, 내가 그것을 할 수 있을 줄 알았다.

---

690 not only A but also B

A뿐만 아니라 B도

Kangaroos move by using **not only** their legs **but also** their tails.
캥거루는 다리 |||||||||||| 꼬리도 사용하여 움직인다.

Get More myth *vs.* legend

1 **myth** 명 신화(고대의 신이나 영웅에 대한 신성시되는 이야기)
the Greek and Roman **myths**
그리스 로마 신화

2 **legend** 명 전설(민간에서 구전되는 옛날이야기)
the **legends** of King Arthur
아더 왕의 전설

✎ ANSWERS p. 287

A 영어는 우리말로, 우리말은 영어로 쓰시오.

1	hallway _____	6	A뿐만 아니라 B도 _____
2	earmuff _____	7	찬가, 축가 _____
3	briefcase _____	8	잔소리하다, 들볶다 _____
4	artwork _____	9	테마, 주제 _____
5	at that time _____	10	좌우로, 양쪽으로 _____

B 빈칸에 알맞은 단어를 [보기]에서 골라 쓰시오. (필요시 형태를 고칠 것)

보기	synthesize	breathtaking	waterproof	tease	myth

11 The view of Niagara Falls from the sky was _____.
하늘에서 내려다 본 나이아가라 폭포의 풍경은 숨이 막힐 듯했다.

12 I enjoy reading books about the Greek _____.
나는 그리스 신화에 대한 책을 읽는 것을 좋아한다.

13 You have to _____ your ideas to write an essay.
에세이를 쓰기 위해서는 너의 생각을 종합해야 한다.

14 My friends _____ me about my big nose.
친구들은 나의 큰 코를 놀린다.

15 My father bought a _____ jacket.
아버지께서는 방수 재킷을 샀다.

C 다음 질문에 대한 답을 한 단어로 쓰시오.

16 What do you need to protect your ears in winter?　　e_____

17 What is the passageway inside the building?　　h_____

18 What is a flat container for carrying books or papers?　　b_____

19 What is the word for paintings, drawings and sculptures?　　a_____

20 What is a traditional story which explains the early history or cultural belief?　　m_____

Day
46

◀️ MP3 파일을 들으면서
단어를 따라 읽어보세요.

---

691 rug
☐☐
[rʌg]

명 깔개, 융단

I spilt milk on the rug.
▓▓▓▓▓ 에 우유를 쏟았다.

---

692 lightning
☐☐
[láitniŋ]

명 번개

Thunder and lightning usually occur together.
천둥과 ▓▓▓▓▓ 는 보통 함께 발생한다.

lightning flashes
섬광

---

693 stimulate
☐☐
[stímjəlèit]

동 자극하다, 격려하다; 돋우다

Coffee stimulates the appetite.
커피는 식욕을 ▓▓▓▓▓.

➕ stimulation 명 자극, 격려
stimulating 형 자극하는

---

694 punctuate
[pʌ́ŋktʃuèit]

punt[point]+ate
점을 찍다 → 구두점을 찍다

⑧ 중단시키다; 구두점을 찍다; 강조하다

A strange noise punctuated his speech.
이상한 소음이 그의 연설을 ▨▨▨▨▨▨.

➕ punctuation ⑲ 구두점

695 ostrich
[ɔ́(:)stritʃ]

⑲ 타조

The ostrich is an African bird with a long neck.
▨▨▨▨▨ 는 목이 긴 아프리카 산(産) 새이다.

696 groove
[gru:v]

⑲ 홈, 바퀴 자국
⑧ 홈을 파다; 신나게 놀다

He made a groove on the wood with a screw driver.
그는 스크루드라이버로 나무에 ▨▨▨▨▨ 을 팠다.

➕ groovy ⑲ 매혹적인

697 spare
[spɛər]

spare tire
스페어 타이어

⑧ 할애하다; 아끼다 (= save)
⑲ 예비의, 여분의

I can't spare any time for it.
나는 거기에 시간을 ▨▨▨▨▨ 수 없다.

↔ waste ⑧ 낭비하다

698 peg
[peg]

⑧ 못을 박다; 고정시키다 (= fix)
⑲ 말뚝, 나무못

He pegged the tent down on the grass.
그는 풀밭에 텐트를 ▨▨▨▨▨.

699 underneath
[ʌ̀ndərníːθ]

⑳ ~ 아래에

He is reading a book underneath the tree.
그는 나무 ▨▨▨▨▨ 책을 읽고 있다.

↔ above ⑳ ~ 위에

Day **47**

700 defense

[diféns]

Ministry of National Defense
국방부

📕 방어, 방위, 수비

The defense on the Korean soccer team got stronger and stronger.
한국 축구팀의 ▨▨▨▨ 는 갈수록 더 강해졌다.

➕ defensive 형 방어적인
↔ offense 명 공격

---

701 chill

[tʃil]

📕 한기, 냉기

Don't go out with wet hair. You might catch a chill.
머리가 젖은 채로 나가지 마라. ▨▨▨▨ 들 거야.

➕ chilly 형 차가운; 냉담한

---

702 leak

[liːk]

📗 새다, 새어나오다
📕 누출; 새는 곳

The toilet has been leaking since last night.
어젯밤부터 변기가 ▨▨▨▨.

➕ leaky 형 (물이) 새는

---

703 in this way

이런 식으로

You shouldn't talk in this way.
당신은 ▨▨▨▨ 말하면 안 됩니다.

---

704 for the first time

처음으로

I saw her in the school hallway for the first time this year.
나는 올해 ▨▨▨▨ 학교 복도에서 그녀를 보았다.

---

705 in general

일반적으로 (= generally)

A good society, in general, helps people in need.
▨▨▨▨ 좋은 단체는 어려움에 처한 사람들을 돕는다.

Get More '자연 현상'을 나타내는 어휘

lightning 번개   flood 홍수   typhoon 태풍
thunder 천둥   tornado 토네이도   hurricane 허리케인
rainstorm 폭풍우   volcano 화산   earthquake 지진

🖉 ANSWERS p. 287

A 영어는 우리말로, 우리말은 영어로 쓰시오.

1	in general	_____	6	못을 박다, 고정시키다 _____
2	lightning	_____	7	깔개, 융단 _____
3	underneath	_____	8	한기, 냉기 _____
4	ostrich	_____	9	이런 식으로 _____
5	for the first time	_____	10	새다, 누출, 새는 곳 _____

B 빈칸에 알맞은 단어를 [보기]에서 골라 쓰시오. (필요시 형태를 고칠 것)

보기	groove	spare	punctuate	defense	stimulate

11 _____ the rod and spoil the child.

매를 아끼면 자식을 망친다.

12 These _____ are from the car accident.

이 홈들은 자동차 사고로 생긴 것이다.

13 The vaccine strengthens the body's _____ against infection.

백신은 감염에 대한 신체의 방어력을 강화시켜준다.

14 Regular exercise _____ the circulation.

규칙적 운동이 순환을 자극한다.

15 Pictures can _____ your ideas in the speech.

그림은 연설을 할 때 당신의 생각을 강조해 줄 수 있다.

C 설명과 일치하는 단어를 골라 ✓표시를 하시오.

16	a flash of very bright light in the sky	☐lightning	☐thunder
17	to encourage someone or something	☐block	☐stimulate
18	under or below something else	☐above	☐underneath
19	a feeling of being cold	☐chill	☐humid
20	to allow liquid or gas to get in or out through a small hole or crack	☐leak	☐punctuate

◀》MP3 파일을 들으면서
단어를 따라 읽어보세요.

---

706 **therapy**
[θérəpi]

몡 요법, 치료 (= treatment)

We tried some aroma therapy.
우리는 몇 가지 아로마 　　　　　을 시도했다.

➕ therapist 몡 치료사

강세주의

707 **outspeak**
[àutspíːk]

outspeak–outspoke–outspoken

용 확실하게 말하다; ~보다 말을 잘하다

People outspoke their anger about the murder.
사람들은 살인사건에 대한 그들의 분노를 　　　　　.

➕ outspoken 혱 솔직한, 대담한
outspokenly 봄 거리낌 없이, 솔직하게

---

708 **heal**
[hiːl]

용 치료하다 (= remedy), 고치다 (= cure)

My mom healed me with herbal tea.
엄마는 약초 달인 차로 나를 　　　　　.

➕ healing 몡 치료, 치료법

---

709 rack
[ræk]

图 괴롭히다 (= torment); (생각을) 짜내다
图 걸이

His headache racked his head with pain.
두통은 그의 머리를 고통스럽게 　　　　.

➕ racking 图 고문하는, 몸을 괴롭히는

710 iceberg
[áisbə̀:rg]

图 빙하

An iceberg is a big mass of ice on the sea.
　　　　는 바다 위에 있는 큰 얼음덩어리이다.

711 biofuel
[báioufjù(:)əl]

biofuel production
바이오 연료 생산

图 바이오 연료

Scientists make biofuels from sugar, starch, vegetable oil or animal fat.
과학자들은 설탕, 녹말, 식물성 기름 또는 동물성 지방으로 　　　　를 만든다.

➕ fossil fuel 图 (석탄 · 석유 등의) 화석 연료

712 renewable
[rinjú:wəbl]

图 재생 가능한, 회복할 수 있는

We should use renewable energy as much as possible.
우리는 가능한 한 많이 　　　　 에너지를 사용해야 한다.

➕ renew 图 갱신하다, 새롭게 하다

713 potluck (party)

图 포트럭 파티 (각자 음식을 준비해 오는 파티)

I made a bowl of vegetable salad for the potluck party this evening.
나는 오늘 저녁 　　　　를 위해 야채 샐러드를 만들었다.

714 frequent
[frí:kwənt]

图 빈번한, 자주 있는

She is a frequent customer.
그녀는 　　　　 손님이다.

➕ frequently 图 자주, 종종
frequency 图 빈도; 잦음

715	**suck** [sʌk]	통 빨다; 흡수하다 (= absorb)
□□		**Babies suck their fingers.** 아기들은 손가락을 ░░░░░░░.

716	**wag** [wæg] wag−wagged−wagged	통 (개가 꼬리를) 흔들다, 흔들리다
□□		**The cute dog wagged his tail.** 그 귀여운 강아지가 나를 보고 꼬리를 ░░░░░░░.

발음주의

717	**dough** [dou]	명 반죽, 빵 반죽 덩어리
□□		**He is good at making pizza dough.** 그는 피자 ░░░░░░░을 잘 만든다.

dough-brake
반죽 기계

718	**on one's own**	스스로의 힘으로 (= for oneself)
□□		**He established his company on his own.** 그는 ░░░░░░░ 회사를 설립했다.

719	**far away from**	~에서부터 멀리
□□		**My house is far away from my school.** 우리 집은 학교에서 ░░░░░░░ 있다. ↔ close to ~에서 가까이

720	**in search of**	~을 찾아 (= to look for, to seek for)
□□		**They sailed in search of Treasure Island.** 그들은 보물섬을 ░░░░░░░ 항해했다.

Get More 여러 가지 '파티' 명칭

Potluck party 각자 음식을 준비해 오는 파티
Pajama party 여학생들이 친구 집에서 하룻밤 자면서 하는 파티
Baby shower 임신한 친구의 순산을 빌며 아기용품을 선물하는 파티
Housewarming party 집들이 파티

✐ ANSWERS p. 288

A 영어는 우리말로, 우리말은 영어로 쓰시오.

1	dough	_____	6	확실하게 말하다 _____
2	in search of	_____	7	괴롭히다, (생각을) 짜내다 _____
3	iceberg	_____	8	빨다, 흡수하다 _____
4	biofuel	_____	9	(개가 꼬리를) 흔들다 _____
5	potluck party	_____	10	스스로의 힘으로 _____

B 빈칸에 알맞은 단어를 [보기]에서 골라 쓰시오. (필요시 형태를 고칠 것)

보기	renewable	heal	frequent	therapy	far away from

11 The hospital is _____ here.
병원은 여기서 멀리 떨어져 있다.

12 Solar power is a _____ resource.
태양 에너지는 재생가능한 자원이다.

13 Firefighters are angry about _____ prank calls.
소방관들은 잦은 장난 전화에 화를 낸다.

14 It took three months to _____ the wound.
상처를 치료하는 데 세 달이 걸렸다.

15 My aunt receives physical _____ these days.
고모는 요즘 물리치료를 받고 계신다.

C 관계있는 것끼리 선으로 연결하시오.

16 frequent •   • ⓐ a treatment of an illness or injury

17 therapy •   • ⓑ happening or doing something often

18 heal •   • ⓒ to make someone who is ill healthy again

19 biofuel •   • ⓓ to express your opinions honestly and directly

20 outspeak •   • ⓔ a fuel produced from plant or animal sources
and used in engines

Day
48

DAY 49

여러 tropical 식물들을 볼 생각을 하니 너무 기대돼~

난 다음 주에 제주도에 있는 새로 개장한 식물원에 갈 거야.

그런데 어떤 식물들은 toxic한 성분을 가지고 있다고 하던걸?

맞아. 그런 식물들을 만지지 않도록 주의해야 해.

🔊 MP3 파일을 들으면서 단어를 따라 읽어보세요.

---

721 figurative
[fígjərətiv]

혱 비유적인; 화려한; 상징적인 (= symbolic)

He often uses figurative language.
그는 종종 [   ] 언어를 사용한다.

➕ figure 몡 수치; 도형; 인물

---

722 shark
[ʃɑːrk]

몡 상어

white shark
백상어

A shark attacked an Australian man yesterday.
[   ] 가 어제 어떤 호주 사람을 공격했다.

강세주의

723 overlook
[òuvərlúk]

동 못 본 체하다 (= forgive, ignore);
빠뜨리고 못 보다; 내려다보다
몡 전망이 좋은 곳

He overlooked my mistake.
그는 나의 실수를 [   ].

---

724 tropical
[trάpikəl]

tropical fish
열대어

형 열대의

There are many wild animals in tropical rainforests.

░░░░ 우림에는 많은 야생동물들이 있다.

➕ tropics 명 열대지방

---

725 toxic
[tάksik]

형 독성의, 유독한 (= poisonous)

They monitored toxic gases.

그들은 ░░░░ 가스를 측정했다.

---

726 defensive
[diténsiv]

형 방어적인

They have studied the effects of defensive weapons.

그들은 ░░░░ 무기의 효과에 대해 연구해 오고 있다.

➕ defense 명 방어
defend 동 방어하다

---

727 vocation
[voukéiʃən]

voc[call]+ation
신의 부름 → 천직

명 천직, 소명 (= calling); 직업 (= occupation)

It may be difficult to find your vocation.

당신의 ░░░░ 을 찾는 것이 어려울 지도 모른다.

➕ vocational 형 직업상의

---

728 peck
[pek]

동 (부리로) 쪼다, 쪼아 먹다 (= bite);
가볍게 입을 맞추다 (= kiss)

Birds peck their prey with their beaks.

새들은 부리로 먹이를 ░░░░.

Day
49

---

729 numeral
[njúːmərəl]

명 숫자 (= number), 수사
형 수를 나타내는

Roman numerals are still used in many areas.

로마 ░░░░ 는 여러 분야에서 아직도 사용되고 있다.

➕ numerable 형 셀 수 있는

730	**shrink**	통 줄다, 줄어들다 (= shorten), 움츠러들다

shrink
□□
[ʃriŋk]

통 줄다, 줄어들다 (= shorten), 움츠러들다
명 수축

shrink-shrank-shrunk

This cloth doesn't **shrink** in water.
이 천은 물속에서도 |||||||| 않는다.

➕ shrink-proof 형 수축방지의, 방축의

---

731 sunburn
□□
[sʌ́nbə̀ːrn]

명 햇볕에 의한 화상, 햇볕에 탐

She got a bad **sunburn** on her back.
그녀는 등에 심각한 |||||||| 을 입었다.

---

732 peel
□□
[piːl]

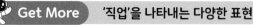

potato peeler
감자칼

통 (껍질을) 벗기다 (= take off, strip)

He **peeled** the peach.
그는 복숭아 ||||||||.

➕ peeling 명 껍질 벗기기

---

733 all around
□□

여기저기에서, 전역에서 (= all over, everywhere)

There was confusion **all around** after the typhoon.
태풍이 지나간 후에 |||||||| 혼란이 있었다.

---

734 at once
□□

곧, 즉시 (= immediately)

She responded to the questions **at once**.
그녀는 |||||||| 질문에 대답했다.

---

735 one ~ after another
□□

차례로

The teacher showed us **one** picture **after another**.
선생님은 우리에게 사진을 |||||||| 보여주셨다.

🧑‍🚀 **Get More**   **'직업'을 나타내는 다양한 표현**

1 **vocation** 명 (천직으로서의) 직업
Teacher is my **vocation**.
교직은 나의 천직이다.

2 **job** 명 (단순히 '일'을 나타내는) 직업
I'm thinking of applying for a new **job**.
나는 새로운 일에 지원할 생각이다.

3 **occupation** 명 (업무로서의) 직업
His **occupation** is a farmer.
그의 직업은 농부이다.

4 **profession** 명 (전문성이 있는) 직업
The **profession** of lawyer is not easy.
변호사업은 쉽지 않다.

✎ ANSWERS p. 288

A 영어는 우리말로, 우리말은 영어로 쓰시오.

1 at once _____
2 shark _____
3 toxic _____
4 vocation _____
5 overlook _____

6 차례로 _____
7 (껍질을) 벗기다 _____
8 비유적인, 상징적인 _____
9 (부리로) 쪼다, 쪼아 먹다 _____
10 여기저기에서, 전역에서 _____

B 빈칸에 알맞은 단어를 [보기]에서 골라 쓰시오. (필요시 형태를 고칠 것)

| 보기 | shrink | numeral | defensive | tropical | sunburn |

11 There are many _____ plants in the greenhouse.
온실에 많은 열대식물들이 있다.

12 Egyptians invented the first _____ system.
이집트인들이 최초의 숫자 체계를 고안했다.

13 _____ can cause skin cancer.
햇볕에 의한 화상은 피부암을 유발할 수 있다.

14 The profit of the company continues to _____.
회사의 이윤이 계속해서 줄어들고 있다.

15 The team's _____ strategy was effective.
그 팀의 방어전략은 효과적이었다.

C 밑줄 친 부분과 바꿔 쓸 수 있는 단어를 쓰시오.

16 Those mushrooms are poisonous.   t_____
17 The movie has some symbolic scenes.   f_____
18 You need to take off the skin before eating it. p_____
19 He wanted his son to get a good occupation.   v_____
20 I can no longer just forgive your mistakes.   o_____

Day 49

이 식물은 덥고 습한 기후에서 thrive하는 종류의 식물입니다.

주변에 있는 waterfall이 꽃의 생장을 돕고 있어요.

◀)MP3 파일을 들으면서 단어를 따라 읽어보세요.

와, 정말 아름다운걸 ~

특히 여름에 만개한 blossom을 볼 수 있지요~

---

736 **crosswalk**
[krɔ́:swɔ̀:k]

명 횡단보도

There was a car accident at the crosswalk.
▨▨▨ 에서 자동차 사고가 있었다.

---

737 **waterfall**
[wɔ́:tərfɔ̀:l]

명 폭포

There are 270 waterfalls in Iguazu Falls.
이과수 폭포에는 270개의 ▨▨▨ 이 있다.

artificial waterfall
인공 폭포

---

738 **blossom**
[blásəm]

명 꽃
동 꽃을 피우다; 번영하다

The frost can kill the blossoms.
서리는 ▨▨▨ 을 죽일 수도 있다.

✚ blossomy 형 (꽃이) 만발한
⟷ wither 동 시들다

739 thrive
[θraiv]

thrive-thrived-thrived

图 번창하다 (= flourish, prosper); 무성해지다

His company has **thrived** for the last 10 years.

그의 회사는 지난 10년 동안 ░░░░░░░░ .

➕ thriving 웹 번영하는, 번창하는

740 cavity
[kǽvəti]

명 충치 (= decayed tooth); 구멍 (= hole)

My son has two **cavities**.

아들에게 ░░░░░░ 가 두 개 있다.

강세주의

741 inspire
[inspáiər]

图 고무하다 (= encourage), 영감을 주다

His mother was **inspired** by his success.

그의 어머니는 그의 성공에 ░░░░░░░░ .

➕ inspiration 명 영감; 격려
  inspiring 웹 고무적인
↔ discourage 图 낙담시키다

742 cucumber
[kjú:kəmbər]

명 오이

pickled cucumbers
오이 피클

She cut the **cucumber** to make sandwiches.

그녀는 샌드위치를 만들기 위해 ░░░░░░░░ 를 썰었다.

743 hopeful
[hóupfəl]

웹 희망에 찬 (= optimistic); 유망한 (= promising)

People are still **hopeful** for the safe landing of the hijacked plane.

사람들은 납치된 비행기가 무사히 착륙할 것에 대해 여전히 ░░░░░░░░ 있다.

↔ hopeless 웹 희망이 없는; 헛된

발음주의

744 circuit
[sə́:rkit]

명 회로; 순회, 순환 (= circulation)

They invented a new electric **circuit**.

그들은 새로운 전기 ░░░░░░░░ 를 고안해냈다.

Day
50

745 germ
[dʒəːrm]

disease germs
병원균

명 세균, 병균; 미생물 (= bacteria)

You can spread germs unless you wash your hands.
손을 씻지 않으면 [   ]을 퍼뜨릴 수 있다.

746 boastful
[bóustfəl]

형 자랑하는; 허풍을 떠는

He is boastful of his health.
그는 자신의 건강을 [   ].

➕ boast 동 뽐내다, 자랑하다

747 blame
[bleim]

동 탓하다, 비난하다 (= criticize)
명 비난 (= criticism), 책망

Don't blame yourself.
자신을 [   ] 마세요.

748 get in the way

방해하다 (= obstruct, interfere); 차단하다

His poor education got in the way of his success.
그의 낮은 학력이 그가 성공하는 데 [   ].

749 no matter what

무엇이든 간에

I will keep my promise no matter what.
그것이 [   ] 나는 약속을 지킬 것이다.

750 out of the way

떨어진 곳에 (= far away)

He punched the ball out of the way.
그는 공을 [   ] 쳐냈다.

Get More '순환'을 의미하는 cir-

circuit 명 회로, 순환   circle 동 돌다 명 동그라미, 원
circular 형 원의   circulate 동 순환하다

✎ ANSWERS p. 288

A 영어는 우리말로, 우리말은 영어로 쓰시오.

1 crosswalk _____
2 blossom _____
3 out of the way _____
4 hopeful _____
5 cucumber _____

6 회로, 순회, 순환 _____
7 번창하다, 무성해지다 _____
8 영감을 주다, 고무하다 _____
9 탓하다, 비난하다 _____
10 방해하다, 차단하다 _____

B 빈칸에 알맞은 단어를 [보기]에서 골라 쓰시오. (필요시 형태를 고칠 것)

| 보기 | germ | cavity | boastful | no matter what | waterfall |

11 She is always _____ of her son.
   그녀는 항상 아들 자랑을 한다.

12 Do your best _____.
   무엇이든 간에 최선을 다해라.

13 Your hands are full of _____.
   손은 세균들로 가득하다.

14 The dentist will fill in my _____.
   치과의사 선생님이 내 충치를 메워줄 것이다.

15 Look at the wonderful _____.
   저 멋진 폭포를 보아라.

C A : B = C : D의 관계가 되도록 빈칸에 알맞은 단어를 [보기]에서 골라 쓰시오.

| 보기 | crosswalk | thrive | cavity | germ | cucumber |

16 flower : blossom = flourish : _____
17 chef : food = dentist : _____
18 flood : heavy rain = disease : _____
19 dumb bells : gym = traffic lights : _____
20 seasoning : salt = vegetable : _____

Day
50

DAY 46~50　Review Test

🖉 ANSWERS p. 288

다음 우리말에 맞게 빈칸에 주어진 철자로 시작하는 단어를 쓰시오.

DAY 46

1　방수 신발류　　　　　w_____ footwear
2　서양 예술품　　　　　western a_____s
3　창조 신화　　　　　　a creation m_____
4　국가　　　　　　　　a national a_____
5　주제곡　　　　　　　a t_____ song
6　통로를 차단하다　　　block off a h_____

DAY 47

7　마루용 깔개　　　　　a floor r_____
8　깊게 패인 홈　　　　　a deep g_____
9　번개의 섬광　　　　　l_____ flashes
10　누수 탐지기　　　　　a l_____ detector
11　민방위 훈련　　　　　a civil d_____ drill
12　표면 아래에　　　　　u_____ the surface

DAY 48

13　쿠키 반죽　　　　　　cookie d_____
14　약물 요법　　　　　　drug t_____
15　자주 눈을 깜빡이는 것　f_____ eye blinking
16　빙산의 일각　　　　　the tip of the i_____
17　재생가능한 자원들　　r_____ sources
18　머리를 짜내다　　　　r_____ one's brain

DAY 49

19　비유적인 언어　　　　f_____ language
20　유독 가스　　　　　　t_____ gases
21　열대림　　　　　　　t_____ forests
22　직업 훈련　　　　　　v_____ training
23　심한 햇볕 화상　　　　a severe s_____
24　방어운전　　　　　　a d_____ driving

DAY 50

25　세균전　　　　　　　g_____ warfare
26　나를 탓하지 마!　　　Don't b_____ me!
27　자기 회로　　　　　　a magnetic c_____
28　(꽃이) 만발하여　　　in full b_____
29　희망에 찬 미소　　　　a h_____ smile
30　충치를 치료하다　　　treat a c_____

226　Part Ⅱ 필수 어휘로 내신 다지기

PART III

놓치기 쉬운
어휘 챙기기

Day 51~60

DAY 51

🔊 MP3 파일을 들으면서
단어를 따라 읽어보세요.

Your Majesty, 전장에서 승리하고 돌아왔습니다.

승리를 기념하며 이 laurel을 수여하고, 연회를 열테니 마음껏 먹고 마셔라.

이야, 정말 flavorful한 음식이 많은데!

---

751 refill
[ri:fíl]
□□

圄 다시 채우다; 보충하다

He **refilled** his cup with juice.
그는 주스로 컵을 [   ].

---

752 groom
[gru(:)m]
□□

圄 손질하다, (털 등을) 다듬다
圀 신랑 (= bridegroom)

bride and groom
신부와 신랑

Monkeys are **grooming** one another.
원숭이들이 서로 [   ].

↔ bride 圀 신부

---

753 majesty
[mǽdʒəsti]
□□

圀 위엄, 존엄 (= dignity); 장엄함; 폐하

The little princess told her maids with **majesty**.
소공녀는 [   ] 있게 하녀들에게 말했다.

✚ majestic 圀 위엄 있는, 당당한

---

754 laurel

[lɔ́:rəl]

laurel wreath
월계관

명 월계수, 월계관

The wrestler brought the laurels of victory for his country.

그 레슬링 선수가 국가에 승리의 ▨▨▨ 을 가져다주었다.

➕ laureled 형 월계관을 쓴

---

755 multicultural

[mʌ̀ltikʌ́ltʃərəl]

형 다문화의, 다문화적인

The United States, Canada and Australia are multicultural countries.

미국과 캐나다, 호주는 ▨▨▨ 국가들이다.

↔ monocultural 형 단일문화의

---

756 overeat

[òuvərí:t]

overeat–overate–overeaten

동 과식하다

Depressed people are likely to overeat.

우울한 사람들은 ▨▨▨ 쉽다.

➕ overeating 명 과식

---

757 rainstorm

[réinstɔ̀:rm]

명 폭풍우, 비바람

A rainstorm hit the center of the city.

▨▨▨ 가 도시 한가운데를 덮쳤다.

---

758 flavorful

[fléivərfəl]

형 향미가 풍부한 (= tasty), 맛좋은

Mom bought a bottle of flavorful tomato sauce.

엄마는 ▨▨▨ 토마토소스 한 병을 샀다.

➕ flavor 명 풍미, 맛

---

759 ecotourism

[èkoutúərizm]

명 친환경 관광

Ecotourism allows people to take a nature-friendly trip.

▨▨▨ 은 사람들로 하여금 자연친화적인 여행을 할 수 있게 한다.

➕ ecotourist 명 친환경 여행자

Day
51

760 **patriot**
[péitriət]

⑱ 애국자

Never forget the patriots and heroes who died in wars.
전쟁 중에 죽은 ▒▒▒▒▒과 영웅들을 결코 잊지 마라.

➕ patriotic ⑲ 애국적인
patriotism ⑲ 애국심

761 **petroleum**
[pətróuliəm]

⑱ 석유

Petroleum is a fossil fuel.
▒▒▒▒▒는 화석연료이다.

강세주의

762 **necessity**
[nəsésəti]

⑱ 필요, 필요성 (= need)

Necessity knows no law.
▒▒▒▒▒는 법을 모른다. (사흘 굶고 도둑질 안 할 사람 없다.)

➕ necessities ⑲ 필수품
necessary ⑲ 필요한
necessarily ⑲ 반드시

763 **in place**

제자리에, 필요한 곳에

Everything is put in place.
모든 것이 ▒▒▒▒▒ 놓여 있다.

764 **in the bottom of**

(야구) ~회 말에; ~의 바닥에 (= at the bottom of)

Heavy rain stopped the game in the bottom of the fifth inning.
폭우로 인해 5회 ▒▒▒▒▒ 경기가 중단되었다.

➕ at the top of ~의 정상에
↔ in the top of ~회 초에

765 **on the other hand**

반면에 (= on the contrary, by contrast)

He takes a shower twice a day. His room, on the other hand, is a mess.
그는 하루에 샤워를 두 번이나 한다. ▒▒▒▒▒ 그의 방은 엉망이다.

 Get More '환경, 생태'를 의미하는 eco-

ecotourism ⑱ 친환경 관광   **ecocorridor** ⑱ 생태 통로
ecodriving ⑱ 친환경 운전   **ecofarming** ⑱ 친환경 농업

✎ ANSWERS p. 289

A 영어는 우리말로, 우리말은 영어로 쓰시오.

1 patriot　　　_____
2 majesty　　　_____
3 petroleum　　_____
4 in the bottom of _____
5 ecotourism　　_____

6 손질하다, (털을) 다듬다　_____
7 필요, 필요성　　_____
8 반면에　　　　_____
9 향미가 풍부한, 맛좋은　_____
10 제자리에, 필요한 곳에　_____

B 빈칸에 알맞은 단어를 [보기]에서 골라 쓰시오. (필요시 형태를 고칠 것)

| 보기 | overeat | multicultural | rainstorm | refill | laurel |

11 The Olympic marathon winner will get the _____ wreath.
올림픽 마라톤 우승자는 월계관을 받을 것이다.

12 Canada spends a lot of money on _____ education.
캐나다는 다문화 교육에 많은 돈을 쓴다.

13 Some windows were broken because of the _____.
폭풍우 때문에 일부 창문들이 부서졌다.

14 It doesn't require extra fees to _____ the cup.
한 잔 더 리필하는 데 추가 요금이 들지 않는다.

15 It is a bad habit to _____.
과식하는 것은 나쁜 습관이다.

C 다음과 같은 상황에서 여러분이 할 수 있는 말을 완성하시오.

16 When your brother's hair is messed up　➡ I'll g_____ your hair.
17 When you eat too much and feel sick　➡ I won't o_____ again.
18 When your tea has a rich flavor　➡ Oh, it's f_____!
19 When a servant calls his king　➡ Your M_____!
20 When your room is in a mess　➡ Let's put things in p_____.

DAY 52

우리 도시에 인공 canal을 만들면 어떨까?

나는 반대야!

만약 장마 때 canal이 무너지면 홍수가 나고 말거야.

하지만 유람선도 탈 수 있고 이로운 점도 있는 걸~

🔊 MP3 파일을 들으면서 단어를 따라 읽어보세요.

766
☐☐ **manual**
[mǽnjuəl]

명 (제품) 사용설명서; 소책자 (= handbook)
형 손의, 수동식의

The manual explains how to use the coffee maker.
▒▒▒▒▒ 에는 커피메이커 사용법이 설명되어 있다.

↔ automatical 형 자동의

강세주의

767
☐☐ **vacuum**
[vǽkjuəm]

vacuum cleaner
진공청소기

명 진공, 빈 곳
형 진공의
동 진공청소기로 청소하다

I vacuumed the room.
나는 방을 ▒▒▒▒▒ .

➕ vacuumize 동 진공상태로 만들다

768
☐☐ **tidal**
[táidl]

형 조수의; 주기적인

Mr. William works for a tidal power plant.
William 씨는 ▒▒▒▒▒ 발전소에서 일한다.

➕ tide 명 조수, 조류

---

769 vain
[vein]

형 쓸데없는, 헛된; 허영심이 강한

He tried in vain to go to his home country.
그는 고국으로 돌아가려고 노력했으나 ▨▨▨▨ .

+ vainly 閉 쓸데없이, 공연히

---

770 fruitful
[frúːtfəl]

형 수확이 많은 (= productive); 성과가 좋은

It was a fruitful summit conference.
그것은 ▨▨▨▨ 정상회담이었다.

+ fruitfully 閉 생산적으로
  fruitfulness 명 성과, 수확
↔ fruitless 형 성과가 없는
  unfruitful 형 수확이 없는, 헛된

---

771 weatherman
[wéðərmæ̀n]

명 기상해설자 (= weather forecaster)

The weatherman predicted more rain today.
▨▨▨▨ 는 오늘 비가 더 올 것이라고 예보했다.

---

772 mighty
[máiti]

형 힘센, 강력한 (= powerful, strong);
　거대한 (= great)

Little drops of water make the mighty ocean.
작은 물방울들이 ▨▨▨▨ 바다를 만든다. (티끌 모아 태산)

+ might 명 힘, 세력
  mightily 閉 강하게, 매우
↔ weak 형 약한

---

773 canal
[kənǽl]

명 운하 (= channel), 인공 수로

The view from the canal is beautiful.
▨▨▨▨ 에서 본 풍경은 아름답다.

---

774 soybean
[sɔ́ibìːn]

명 콩, 대두

Soybeans are the main ingredient in soybean paste.
▨▨▨▨ 은 된장의 주재료이다.

soybean sprouts
콩나물

775 shabby
[ʃǽbi]

형 초라한; 낡은 (= worn-out)

They were on the street, wearing shabby clothes.

그들은 ░░░░░ 옷을 입고 거리에 있었다.

➕ shabbily 🄬 초라하게, 허름하게
↔ luxurious 형 화려한; 부유한

발음주의

776 geothermal
[dʒìːouθə́ːrməl]

형 지열의, 지열에 관한

This factory is operated by geothermal energy.

이 공장은 ░░░░░ 에너지로 가동된다.

777 weaken
[wíːkən]

동 약화시키다, 약해지다

The U.S. economy will weaken next year.

내년에 미국 경제는 ░░░░░ 것이다.

➕ weak 형 약한, 힘없는
↔ strengthen 동 강화시키다

778 but for

~이 없다면, ~이 없었다면

But for her help, he could not do it.

그녀의 도움이 ░░░░░, 그는 그것을 할 수 없었을 것이다.

779 figure out

이해하다; 해결하다 (= solve); ~을 계산하다

I will figure it out!

제가 ░░░░░!

780 ahead of

~에 앞서, ~의 앞에

He made a private comment ahead of the ceremony.

행사에 ░░░░░ 그는 개인적인 발언을 했다.

↔ behind 전 ~의 뒤에

Get More **'물'과 관련된 어휘**

| ocean, sea 바다 | lake 호수 | pool 웅덩이 | waterfall 폭포 | well 우물 |
| stream 냇가 | river 강 | pond 연못 | cascade 작은 폭포 | swamp 늪 |

✎ ANSWERS p. 289

A 영어는 우리말로, 우리말은 영어로 쓰시오.

1	ahead of	_____	6	운하, 인공 수로	_____
2	tidal	_____	7	쓸데없는, 헛된	_____
3	fruitful	_____	8	지열의, 지열에 관한	_____
4	weatherman	_____	9	~이 없다면, 없었다면	_____
5	soybean	_____	10	초라한, 낡은	_____

B 빈칸에 알맞은 단어를 [보기]에서 골라 쓰시오. (필요시 형태를 고칠 것)

보기	figure out	weaken	vacuum	mighty	manual

11 There's no gravity in the _____ of space.
진공 공간에는 중력이 없다.

12 He was known as a _____ warrior.
그는 힘센 전사로 알려져 있었다.

13 The detective tried to _____ the purpose of their trip.
형사는 그들의 여행 목적을 알아내기 위해 노력했다.

14 Caffeine can _____ kidney function.
카페인은 신장 기능을 약화시킬 수 있다.

15 The _____ is divided into three parts.
사용설명서는 세 부분으로 나눠진다.

C 관계있는 것끼리 선으로 연결하시오.

16 tidal •   • ⓐ relating to the heat from the earth

17 canal •   • ⓑ producing good results

18 vacuum •   • ⓒ the space without gravity

19 geothermal • • ⓓ relating to the rising and falling of the sea

20 fruitful •   • ⓔ a long passage filled with water

DAY 53

알래스카 여행은 어땠니?

얼음 위에서 넘어져서 발목을 sprain했지만 다른 건 다 좋았어.

나는 알래스카가 barren한 지역인 줄 알았는데 그렇지 않더라고.

현재 사람들이 그 지역을 rediscover 하는 중이야~

◀ MP3 파일을 들으면서 단어를 따라 읽어보세요.

---

781 differ
[dífər]

동 다르다; 의견을 달리하다 (= disagree)

His idea **differed** with his mother's entirely.
그의 생각은 어머니의 생각과는 전적으로 ▨▨▨▨▨.

✚ different 형 다른
    difference 명 다름
⟷ equal 동 같다, 동등하다

---

782 barren
[bǽrən]

형 불모지의 (= infertile), 메마른; 재미없는 (= dull)
명 불모지

She filled the **barren** land with various trees.
그녀는 ▨▨▨▨ 땅을 다양한 나무들로 채웠다.

⟷ fertile 형 비옥한

강세주의

783 rediscover
[rìːdiskʌ́vər]

동 재발견하다

I **rediscovered** the importance of family through this experience.
나는 이 경험을 통해 가족의 중요성을 ▨▨▨▨▨.

✚ rediscovery 명 재발견

---

784 hum
[hʌm]

hum–hummed–hummed

통 콧노래를 부르다; 중얼거리다

My grandfather was humming in the garden.
할아버지께서는 정원에서 　　　　 계셨다.

➕ humming 명 허밍, 흥얼거림

---

785 sprain
[sprein]

통 (발목 등을) 삐다 (= wrench)
명 염좌

My manager sprained his finger.
지배인이 손가락을 　　　　 .

---

786 galaxy
[gǽləksi]

명 은하수 (= the Milky Way); 성운; 집단

The galaxy has a lot of stars.
　　　　 에는 많은 별들이 있다.

---

787 biology
[baiɑ́lədʒi]

명 생물학

She got an A⁺ in biology.
그녀는 　　　　 에서 A⁺를 받았다.

➕ biologist 명 생물학자

---

788 fountain
[fáuntin]

fountain show
분수 쇼

명 분수; 샘; 만년필의 잉크통
통 분출시키다

There is a small fountain in the center of the garden.
정원 중앙에 작은 　　　　 가 있다.

➕ fountain pen 만년필

---

789 legal
[líɡəl]

leg[law]+al
법률의 → 합법적인

형 법률의; 합법적인 (= legitimate, lawful)

The government is considering legal action for the refugees.
정부는 난민들을 위한 　　　　 조치를 고려 중이다.

➕ legally 부 합법적으로
↔ illegal 형 불법의

790	**carbon** [káːrbən]	몡 탄소 This material consists of carbon and hydrogen. 이 물질은 [ ] 와 수소로 구성되어 있다. ➕ carbon dioxide 이산화탄소

강세주의

791	**transform** [trænsfɔ́ːrm]	통 변형시키다, 바꾸다 (= change, alter) They transformed sugar into energy. 그들은 설탕을 에너지로 [ ]. ➕ transformation 몡 변화

792	**fraction** [frǽkʃən]	몡 소량; 파편, 조각 (= piece) 통 세분하다, 나누다 (= divide) A fraction of the budget was spent to help the poor. 예산의 [ ] 이 가난한 사람들을 돕는 데 쓰였다. ➕ fractional 혱 단편의, 부분의

793	**in the case of**	~에 관하여, ~의 경우에 In the case of drunk driving, you will be punished more. 음주 운전의 [ ] 가중 처벌을 받게 될 것이다.

794	**near at hand**	매우 가까이에, 손에 잡힐 듯 가까이에 A big change is near at hand. 큰 변화가 [ ] 있다. ↔ far away 멀리에

795	**at the beginning of**	~의 도입부에, ~의 시작 부분에 She sang a song at the beginning of the party. 그녀는 파티의 [ ] 노래를 불렀다. ↔ at the end of ~의 끝에

Get More '다시'를 의미하는 re-

rediscover 통 재발견하다	**review** 통 복습하다	**retake** 통 회복하다
reform 통 개혁하다	**rebuild** 통 재건하다	**refill** 통 다시 채우다

✎ ANSWERS p. 289

A 영어는 우리말로, 우리말은 영어로 쓰시오.

1 biology _____
2 rediscover _____
3 galaxy _____
4 fountain _____
5 carbon _____

6 콧노래를 부르다 _____
7 (발목 등을) 삐다, 염좌 _____
8 ~에 관하여, ~의 경우에 _____
9 합법적인, 법률의 _____
10 ~의 시작 부분에 _____

B 빈칸에 알맞은 단어를 [보기]에서 골라 쓰시오. (필요시 형태를 고칠 것)

| 보기 | transform | near at hand | fraction | differ | barren |

11 The accident was a small _____ of history.
그 사건은 역사의 작은 단편이었다.

12 The event will _____ his life.
그 사건은 그의 삶을 바꾸어 놓을 것이다.

13 Spring is _____.
봄이 아주 가까이에 와 있다.

14 This new program _____ from the old one.
이 새로운 프로그램은 예전 프로그램과는 다르다.

15 The place changed from a habitable region into a _____ desert.
그 지역은 살기 적당한 지역에서 불모지의 사막으로 변화되었다.

C 관계있는 것끼리 서로 연결하시오.

16 lawyers, court, trial •
17 cells, tissues, blood, genes •
18 sun, moon, Jupiter, Venus •
19 wrist, fingers, ankles, waist •
20 hydrogen, nitrogen, oxygen •

• ⓐ sprain
• ⓑ carbon
• ⓒ biology
• ⓓ galaxy
• ⓔ legal

그녀는 supernatural한 능력을 가진 게 분명해!

아냐, 그건 항상 최선을 다하는 그녀의 willpower 때문이야.

그녀는 자기가 만든 특별한 horn으로 새들을 불러모은대.

그건 well-known한 이야기라고~

📢 MP3 파일을 들으면서 단어를 따라 읽어보세요.

---

796 superstition
[sùːpərstíʃən]

📖 미신

It's just a superstition!
그건 단지 ░░░░░░░ 일 뿐이야!

➕ superstitious ⑱ 미신적인

---

797 horn
[hɔːrn]

hunting horn
사냥용 뿔피리

📖 뿔; 뿔피리; 경적

Don't blow your own horn.
자신만의 ░░░░░░░ 을 불지 마세요. (자화자찬하지 마세요.)

➕ hornlike ⑱ 뿔 모양의, 뿔같은

강세주의

798 grown-up
[gróunʌ̀p]

📖 어른 (= adult)
⑱ 다 자란, 어른의; 성숙한

They are all grown-ups now.
이제 그들은 모두 ░░░░░░░ 이다.

↔ child ⑲ 어린아이

---

799 ordinal
[ɔ́:rdənl]

혱 순서를 나타내는; 서수의

"First" and "second" are ordinal words in English.
'첫째'와 '둘째'는 영어에서 [   ] 단어들이다.

➕ order 혱 순서, 차례

---

800 noun
[naun]

명 명사

"Curiosity" is the noun form of "curious."
'호기심'은 '궁금한'의 [   ] 형이다.

---

801 supernatural
[sùːpərnǽtʃərəl]

혱 초자연적인; 신비한 (= mysterious)
명 초자연적인 현상

The movie is about supernatural powers.
그 영화는 [   ] 힘에 관한 것이다.

---

802 well-known
[wélnóun]

혱 잘 알려진, 유명한 (= famous); 친한

New York State is well-known for its majestic Niagara Falls.
뉴욕 주는 웅장한 나이아가라 폭포로 [   ] 있다.

---

803 willpower
[wilpáuər]

명 의지력

He has a strong willpower.
그는 강력한 [   ] 을 가지고 있다.

---

804 nap
[næp]

nap-napped-napped

midday nap
낮잠

명 낮잠, 선잠 (= short sleep)
동 잠깐 자다

I took a nap under the tree after lunch.
나는 점심을 먹고 나서 나무 밑에서 [   ] 을 잤다.

➕ take a nap 낮잠을 자다

805 outgo
[àutgóu]

outgo–outwent–outgone

명 지출 (= expenditure); 출발; 유출
동 (~ 보다) 빨리 가다; 능가하다

The article explains how to balance income and outgo.
이 기사는 수입과 　　　　　 을 균형 있게 유지하는 방법을 설명하고 있다.

✚ outgoing 형 외향적인
⟷ income 명 수입

발음주의

806 frown
[fraun]

동 눈살을 찌푸리다, 인상을 쓰다
명 찌푸린 얼굴

The teacher frowned at me when I was late again.
내가 또 다시 지각했을 때 선생님은 나에게 　　　　　 .

807 shovel
[ʃʌ́vl]

동 삽으로 푸다
명 삽

He shoveled the snow from the street.
그는 거리의 눈을 　　　　　 .

808 out of

~ 중에

Two out of 10 students have a cold.
학생들 열 명 　　　　　 두 명이 감기에 걸렸다.

809 at the table

식사 중에

My family doesn't talk much at the table.
우리 가족은 　　　　　 말을 많이 하지 않는다.

810 on one's way

~로 가는 도중에

I was on my way to my office.
나는 사무실로 　　　　　 이었다.

Get More　　out of의 다양한 뜻

1 ~ 중에
one **out of** 10
열 중에 하나

2 ~ 없는
out of work
직업이 없는

3 ~ 밖으로
out of the car
차 밖으로

4 ~(으)로
made **out of** wood
나무로 만들어진

✎ ANSWERS p. 289

A 영어는 우리말로, 우리말은 영어로 쓰시오.

1	superstition	_____	6	다 자란, 어른의, 어른	_____
2	out of	_____	7	서수의, 순서를 나타내는	_____
3	noun	_____	8	삽, 삽으로 푸다	_____
4	well-known	_____	9	낮잠, 잠깐 자다	_____
5	on one's way	_____	10	(~ 보다) 빨리 가다	_____

B 빈칸에 알맞은 단어를 [보기]에서 골라 쓰시오. (필요시 형태를 고칠 것)

보기   supernatural   at the table   horn   willpower   frown

11 We talked about our next plan _____.

우리는 식사 중에 다음 계획에 대해 이야기를 나누었다.

12 Some people have a belief in _____ creatures.

어떤 사람들은 초자연적인 생명체에 대한 믿음을 가지고 있다.

13 He has a deep _____.

그는 몹시 찌푸린 얼굴을 하고 있다.

14 Success depends on strong _____.

성공은 강한 의지력에 달려 있다.

15 He is honking a(n) _____.

그는 경적을 울리고 있다.

C 주어진 단어와 비슷한 뜻의 단어를 쓰고, 동그라미 안의 철자를 모아 새로운 단어를 완성하고 뜻을 쓰시오.

16 famous   :

17 expenditure :

18 adult   :

19 sleep   :

↓

20 _____

예전엔 이곳이 beggar들이 모여 사는 마을이었대.

나는 여기 walkway를 걸으면 기분이 좋아져~

정말? 어디서 들었어?

꽃에 물을 sprinkle하고 있는 저 사람한테 들었어.

◀ MP3 파일을 들으면서
단어를 따라 읽어보세요.

---

811 □□ **sprinkle**
[spríŋkl]

통 뿌리다 (= scatter), 끼얹다
명 소량; 뿌리기

Sprinkle some salt on a salad.
샐러드에 소금을 좀 　　　　　.

---

812 □□ **repairman**
[ripέərmæn]

명 수리기술자

He is a bicycle repairman.
그는 자전거 　　　　　이다.

➕ repair 통 수리하다

---

813 □□ **dental**
[déntl]

형 치아의, 치과의

I went to a dental clinic for my cavities.
나는 충치 때문에 　　　　　병원에 갔다.

➕ dentist 명 치과의사

dental surgery
치과 수술

---

814 scar
[skɑːr]

명 상처, 흉터

The scar will not fade.
그 [   ]는 사라지지 않을 것이다.

---

815 dishonest
[disánist]

형 정직하지 않은; 부정한 (= cheating)

Dishonest politicians keep telling lies.
[   ] 정치인들은 계속 거짓말을 한다.

➕ dishonesty 명 부정직; 부정 (행위)
↔ honest 형 정직한, 솔직한

발음주의

816 piracy
[páiərəsi]

명 해적 행위; 저작권 침해

Online piracy is destroying the music and film industry.
온라인 상의 [   ]가 음악과 영화 산업을 파괴하고 있다.

➕ pirate 명 해적; 저작권 침해자 동 해적 행위를 하다

---

817 beggar
[bégər]

명 거지

Beggars can't be choosers.
[   ]은 선택하는 사람이 될 수 없다.
(좋고 싫고 가릴 수 없다.)

➕ beg 동 구걸하다

---

818 drunk
[drʌŋk]

형 술에 취한

He was drunk when she met him.
그녀가 그를 만났을 때 그는 [   ].

➕ drink 동 마시다

---

819 scholar
[skálər]

명 학자 (= intellectual)

Steven Hawking is a great scholar as well as a brilliant scientist.
Steven Hawking은 명석한 과학자일 뿐만 아니라 위대한 [   ]이기도 하다.

➕ scholastic 형 학교의; 학문적인
scholarship 명 장학금; 학문

Day
55

820 **flea**
[fli:]

flea market
벼룩시장

명 벼룩

Wash the flea bite with soap and keep it clean.
▓▓▓▓ 에 물린 자리를 비누로 씻고 청결을 유지해라.

---

821 **walkway**
[wɔ́:kwèi]

명 인도, 보도 (= sidewalk)

The city made a long wooden walkway along the river.
시에서 강을 따라 긴 나무 ▓▓▓▓ 를 만들었다.

강세주의

822 **pioneer**
[pàiəníər]

명 개척자, 선구자
동 개척하다

He was a pioneer in the field of social science.
그는 사회과학 분야의 ▓▓▓▓ 였다.

---

823 **behind time**

늦게 (= late), 지각하여

The train arrived at the station 2 hours behind time.
열차는 2시간 ▓▓▓▓ 역에 도착했다.

↔ ahead of time (정해진 시간보다) 빨리

---

824 **the same as**

~과 같은, ~과 동일한

His name is the same as his great grandfather's.
그의 이름은 증조할아버지의 이름과 ▓▓▓▓.

↔ different from ~과 다른

---

825 **such as**

이를테면, ~ 같은

On the list are many countries, such as Spain and England.
스페인이나 영국 ▓▓▓▓ 많은 나라들이 목록에 있다.

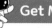 **Get More** **'상처'를 나타내는 어휘**

wound 명 찢기고 잘린 상처   scar 명 마음의 상처   trauma 명 정신적 외상
scratch 명 찰과상   cut 명 칼에 베인 상처   bruise 명 타박상
abrasion 명 찰과상   injury 명 전쟁 및 사고로 인한 부상

✎ ANSWERS p. 290

A 영어는 우리말로, 우리말은 영어로 쓰시오.

1	sprinkle	_____	6	수리기술자	_____
2	dental	_____	7	벼룩	_____
3	dishonest	_____	8	인도, 보도	_____
4	beggar	_____	9	개척자, 개척하다	_____
5	scholar	_____	10	늦게, 지각하여	_____

B 빈칸에 알맞은 단어를 [보기]에서 골라 쓰시오. (필요시 형태를 고칠 것)

보기	such as	drunk	scar	piracy	the same as

11 _____ in Somalia is a serious international problem.
소말리아의 해적질은 심각한 국제 문제이다.

12 The taste is not _____ homemade juice.
맛이 집에서 만든 주스와 같지는 않다.

13 _____ driving deaths are increasing.
음주운전사고 사망자가 증가하고 있다.

14 Americans have the _____ of 9/11.
미국인들은 9/11의 상처를 가지고 있다.

15 For your healthy stomach, eat vegetables, _____ cabbages and spinach. 건강한 위를 위해서 양배추나 시금치 같은 야채를 먹어라.

C 빈칸에 알맞은 단어를 [보기]에서 골라 쓰시오.

보기	pioneer	drunk	beggar	scar	piracy

16 People are stealing movies and songs online. It's a kind of _____.

17 He has no money and food. He is a _____.

18 He drank too much. He was _____.

19 He got his fingers scratched. He's got a _____.

20 He is the first person to study bamboo. He is the _____ in the field.

✎ ANSWERS p. 290

다음 우리말에 맞게 빈칸에 주어진 철자로 시작하는 단어를 쓰시오.

DAY 51
1 신부와 신랑   bride and g_____
2 다문화 사회   a m_____ society
3 필요에 의해   by n_____
4 향미가 풍부한 커피 한 잔   a cup of f_____ coffee
5 친환경 관광사업   e_____ business
6 석유 정제   p_____ processing

DAY 52
7 교사용 지도서   a teacher's m_____
8 바닷물의 흐름   t_____ current
9 헛되이   in v_____
10 두유   s_____ milk
11 수에즈 운하   the Suez C_____
12 초라한 모습의 집   a s_____-looking house

DAY 53
13 황량한 벌판   a b_____ field
14 발목 염좌   an ankle s_____
15 분수식으로 된 식수대   a drinking f_____
16 법률 서류   l_____ documents
17 나의 생물 선생님   my b_____ teacher
18 이산화탄소   c_____ dioxide

DAY 54
19 단수 명사   a singular n_____
20 초자연적인 이야기   a s_____ story
21 서수   an o_____ number
22 의지력과 품위   w_____ and grace
23 유명한 시들   w_____ poems
24 낮잠 시간   n_____ time

DAY 55
25 치과질환   d_____ problems
26 깊은 상처   deep s_____s
27 부정직한 행위   d_____ acts
28 온라인 상의 저작권 침해   online p_____
29 좁은 인도   a narrow w_____
30 개척자 정신   the p_____ spirit

Zoom In

접미사 -en / -ism

1. 동사형을 만드는 접미사 -en

strengthen
강화시키다

예 Technology **strengthens** the economy.
기술이 경제를 강화시킨다.

weaken
약화시키다

예 High divorce rates **weaken** social structures.
높은 이혼율이 사회구조를 약화시킨다.

lengthen
늘리다

예 Global warming **lengthens** the rainy season in Korea.
지구온난화가 한국에 비오는 기간을 늘린다.

shorten
줄이다

예 Daily working hours should be **shortened**.
하루 근무 시간은 짧아져야 한다.

frighten
두렵게 하다

예 Monkeys are **frightened** by thunder.
원숭이들은 천둥소리에 두려움을 느낀다.

2. '이론'이나 '상태, 행동양상' 등을 의미하는 명사형을 만드는 접미사 -ism

ecotourism
친환경 관광

예 **Ecotourism** is the solution to the problem.
친환경 관광이 그 문제에 대한 해결책이다.

patriotism
애국심

예 Her act is an example of **patriotism**.
그녀의 행동은 애국심의 본보기이다.

individualism
개인주의

예 **Individualism** among young people is a serious problem.
젊은 사람들의 개인주의는 심각한 문제이다.

feminism
페미니즘, 여권신장운동

예 The main topic of this conference is **feminism**.
이번 회담의 중심 주제는 페미니즘이다.

racism
인종주의

예 Nazism is a kind of **racism**.
나치즘은 일종의 인종주의이다.

capitalism
자본주의

예 This book written by him covers modified **capitalism**.
그가 쓴 이 책은 수정자본주의를 다루고 있다.

DAY 56

왜 비둘기들을 scatter하는 거야?

나는 비둘기들이 정말 싫거든!

비둘기들은 사람들이 주는 먹이만 찾아다닐 뿐더러 너무 더러워!

더 이상 평화를 상징하는 metaphor로 쓰일 수 없다고!

🔊 MP3 파일을 들으면서 단어를 따라 읽어보세요.

---

826 **dependent**

[dipéndənt]

Independence Day
(미국) 독립 기념일

형 의존하는

He is still **dependent** on his parents.
그는 여전히 부모님에게 [   ] 있다.

➕ depend 통 의존하다, 기대다
　dependency 명 의존
↔ independent 형 독립적인
　independence 명 독립

---

827 **hand-me-down**

[hǽndmidàun]

형 물려받은; 헌 옷의; 만들어 놓은

I am sick of **hand-me-down** clothes.
나는 [   ] 옷에 질렸어.

➕ ready-made 형 이미 만들어져 나오는; 기성품의

---

828 **scatter**

[skǽtər]

통 흩뿌리다, 뿌리다

Farmers **scatter** seeds in spring.
농부들은 봄에 씨를 [   ].

---

829 medieval
[mìːdíːvəl]

형 중세의

In medieval times, it was not allowed for women to be on the stage.
███████ 시대에, 여성들이 무대에 오르는 것은 허용되지 않았다.

---

830 audit
[ɔ́ːdit]

명 회계감사
동 회계를 감사하다

Audit is to examine financial records.
███████ 란 재무 기록을 검사하는 것이다.

✚ auditor 명 회계감사원

---

831 brainpower
[bréinpàuər]

명 인적자원; 지식인들

Korea is famous for its strong brainpower.
한국은 강력한 ███████ 으로 유명하다.

---

832 ingredient
[ingríːdiənt]

명 성분, 재료, 원료

The main ingredient in gimchi is cabbage.
김치의 주된 ███████ 는 배추이다.

---

833 utility
[juːtíləti]

명 유용, 유익
형 실용적인; 용도가 많은

I bought a utility knife yesterday.
나는 어제 ███████ 칼을 하나 샀다.

✚ utilize 동 사용하다

---

834 parallel
[pǽrəlèl]

명 평행선
형 나란한, 평행인
동 ~에 평행하다, 부합하다

parallel bars
평행봉

The growth of the country has paralleled the growth of some electronic companies.
그 국가의 발전은 몇몇 전자회사들의 발전과 ███████.

Day 56

835 metaphor
[métəfɔ̀ːr]

명 은유

An ant is a good metaphor for a diligent person.
개미는 부지런한 사람에게 알맞은 좋은 |||||||| 이다.

➕ metaphoric 형 은유적인

836 kindergarten
[kíndərgàːrtn]

kinder[child]+garten[garden]
아이들의 정원 → 유치원

명 유치원

She takes care of kids at a kindergarten.
그녀는 |||||||| 에서 아이들을 돌본다.

837 shameless
[ʃéimlis]

형 창피함을 모르는, 뻔뻔한

He is a shameless liar.
그는 |||||||| 거짓말쟁이야.

➕ shamelessly 부 창피함도 없이
shameful 형 창피한, 수치스러운
shame 명 수치심, 부끄러움

838 most of

대부분의

Most of the high school girls enjoy listening to music.
|||||||| 여고생들은 음악 듣는 것을 즐긴다.

839 billions of

수십억의

He wasted billions of dollars gambling.
그는 도박으로 |||||||| 달러를 탕진했다.

840 a kind of

일종의, ~의 한 종류인

Aqua is a kind of blue.
아쿠아는 파란색의 |||||||| 이다.

Get More   utility의 다양한 뜻

1 명 실용, 유용, 유용(성)
the utility of a computer
컴퓨터의 유용성

2 명 공공시설, 전기나 가스 등의 공익사업
pay utility bills
공과금을 내다

✎ ANSWERS p. 290

A 영어는 우리말로, 우리말은 영어로 쓰시오.

1 dependent _____
2 kindergarten _____
3 audit _____
4 medieval _____
5 parallel _____

6 헌 옷의, 만들어 놓은 _____
7 창피함을 모르는 _____
8 은유 _____
9 유용, 유익, 실용적인 _____
10 일종의, ~의 한 종류인 _____

B 빈칸에 알맞은 단어를 [보기]에서 골라 쓰시오. (필요시 형태를 고칠 것)

| 보기 | ingredient | brainpower | billions of | most of | scatter |

11 The universe might have _____ stars.
우주에는 수십억 개의 별들이 있을 것이다.

12 Leaves are _____ by the wind.
나뭇잎들이 바람에 흩날린다.

13 _____ guarantees our economic success in the future.
인적자원이 미래의 경제적 성공을 보장한다.

14 The chef didn't tell the secret _____.
요리사는 비밀 재료들을 말해주지 않았다.

15 _____ my books are written about animals.
내 책들의 대부분은 동물에 대해 쓰여 있다.

C 주어진 철자를 활용하여 빈칸에 공통으로 알맞은 단어를 쓰시오.

16 ⓐ natural i_____s   ⓑ main i_____s

17 ⓐ p_____ rulers   ⓑ p_____ lines

18 ⓐ a private k_____   ⓑ k_____ education

19 ⓐ B_____ of dollars were spent on this project.
ⓑ B_____ of people visited the Great Wall.

20 ⓐ The French Revolution was a k_____ of social movement.
ⓑ Melanoma is a k_____ of skin cancer.

Day
56

DAY 57

사람들은 그 pillow가 체중을 줄여줄 수 있다고 믿었던 거예요!

한 돌팔이 의사가 overweight한 사람들에게 pillow를 팔았어요.

하지만 효과는 없었고, 사람들은 의사에게 환불을 요구했어요.

🔊 MP3 파일을 들으면서 단어를 따라 읽어보세요.

841
incorrect
[ìnkərékt]

형 부정확한, 잘못된 (= wrong)

The answer is incorrect.
정답이 　　　　.

➕ incorrectly 🖁 정확하지 않게
↔ correct 형 정확한

강세주의

842
thumbs-up
[θʌ́mzʌ́p]

명 찬성, 승인

She gave me the thumbs-up.
그녀는 나에게 　　　　.

843
wireless
[wáiərlis]

형 무선의
명 무선 전신

You can use wireless Internet in this area.
이 지역에서는 　　　　 인터넷을 사용할 수 있다.

➕ wirelessly 🖁 무선으로
↔ wired 형 유선의

wireless telephone
무선 전화기

---

844 muddy
[mʌ́di]

형 진흙투성이의, 진흙의

Take off the muddy shoes.
░░░░░ 신발을 벗어라.

➕ mud 명 진흙

845 floss
[flɔ(:)s]

명 명주실, 풀솜; 치실

Use dental floss after every meal.
식사 후에는 꼭 ░░░░░ 을 써라.

dental floss
치실

846 caretaker
[kɛ́ərtèikər]

명 관리인 (= janitor), 돌보는 사람

The animal caretaker is responsible for animals' health and cleanness.
동물 ░░░░░ 은 동물의 건강과 청결을 책임진다.

847 toss
[tɔːs]

동 던지다; 버무리다
명 던지기

He tossed the coin to decide where to go.
그는 동전을 ░░░░░ 어디로 갈지 결정했다.

848 precious
[préʃəs]

형 귀중한 (= valuable); 값비싼 (= expensive)

My grandma always gave me precious advice.
할머니께서는 언제나 나에게 ░░░░░ 충고를 해주셨다.

➕ preciously 부 까다롭게; 매우

849 overweight
[óuvərwèit]

형 과체중의; 너무 무거운
명 과체중, 초과 중량

She was overweight when she was young.
그녀는 젊었을 때 ░░░░░ 이었다.

➕ overweigh 동 …보다 더 무겁다, 더 중대하다

Day 57

850 **mysterious**
[mistíəriəs]

형 신비한, 불가사의한

The story that he told me yesterday was mysterious.
어제 그가 나에게 해준 이야기는   .

➕ mystery 명 불가사의
　 mysteriously 부 신비롭게

851 **cabinet**
[kǽbənit]

명 내각; 장식장

A new cabinet has been formed.
새로운   이 구성되었다.

852 **pillow**
[pílou]

명 베개

Don't throw the pillow.
               를 던지지 마.

pillowcase
베갯잇

853 **of no effect**

무효의 (= invalid), 효력이 없는

The rule is now of no effect.
이제 그 규칙은   .

854 **under way**

진행 중인 (= ongoing)

The new project is under way.
새로운 프로젝트가   .

855 **the minute
that**

~하자마자 (= as soon as), ~과 동시에

The minute that he saw me, he ran away.
그는 나를   도망갔다.

🧑‍🚀 **Get More**　　**'몸매'를 나타내는 어휘**

skinny 형 깡마른　　**thin** 형 마른　**slender** 형 날씬한　　　**chubby** 형 통통한
plump 형 포동포동한　**fat** 형 뚱뚱한　**overweight** 형 과체중의　**obese** 형 비만인

✐ ANSWERS p. 290

A 영어는 우리말로, 우리말은 영어로 쓰시오.

1 pillow _____
2 under way _____
3 caretaker _____
4 overweight _____
5 mysterious _____

6 찬성, 승인 _____
7 명주실, 풀솜, 치실 _____
8 던지다, 버무리다 _____
9 진흙의, 진흙투성이의 _____
10 무효의, 효력이 없는 _____

B 빈칸에 알맞은 단어를 [보기]에서 골라 쓰시오. (필요시 형태를 고칠 것)

| 보기 | wireless | the minute that | incorrect | precious | toss |

11 You entered a(n) _____ e-mail address.
당신은 잘못된 이메일 주소를 입력했다.

12 _____ I opened the door, a strong wind hit me.
문을 열자마자 강한 바람이 나를 강타했다.

13 _____ technology has opened up a new world.
무선 기술은 새로운 세상을 열었다.

14 I _____ the lettuce with salad dressing.
나는 양상추를 샐러드 드레싱과 함께 섞었다.

15 Don't waste your _____ time.
당신의 귀중한 시간을 낭비하지 마라.

C 의미가 비슷한 단어끼리 서로 연결하시오.

16 of no effect •   • ⓐ fat
17 overweight •   • ⓑ incomprehensible
18 mysterious •   • ⓒ valuable
19 precious •   • ⓓ invalid
20 incorrect •   • ⓔ wrong

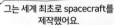
그는 세계 최초로 spacecraft를 제작했어요.

그건 대단한 과학적 feat였죠.

그는 매우 추진력 있는 사람이었어요.

그리고 witty한 성격 때문에 사람들은 그를 좋아했어요.

🔊 MP3 파일을 들으면서
단어를 따라 읽어보세요.

---

856 **feat**

[fi:t]

📖 위업, 업적 (= achievement)

The battle showed one of his amazing heroic feats.

그 전투는 그의 놀라운 영웅적   중의 한 가지를 보여주었다.

---

857 **self-respect**

[sèlfrispékt]

📖 자존심, 자중

He did his best to regain his self-respect.

그는   을 회복하기 위해 최선을 다했다.

➕ self-respecting 📖 자존심이 있는

발음주의

858 **trial**

[tráiəl]

mock trial
모의 재판

📖 재판; 시도, 노력 (= effort)

The trial begins next week.

    이 다음 주에 시작된다.

➕ try 📖 시도하다

---

859 faucet
[fɔ́:sit]

명 수도꼭지 (= tap)

The faucet was leaking all day.

▨▨▨▨▨ 가 온종일 새고 있었다.

---

860 witty
[wíti]

형 재치 있는, 익살맞은

The film begins with a witty scene.

그 영화는 ▨▨▨▨▨ 장면으로 시작한다.

➕ wit 명 재치, 지혜
  wittiness 명 재치가 많음

---

861 spacecraft
[spéiskræft]

명 우주선 (= spaceship)

He designed, built and tested the spacecraft.

그는 ▨▨▨▨▨ 을 디자인하고 만들고 점검했다.

➕ space 명 우주; 공간

---

862 frequency
[frí:kwənsi]

명 빈번함, 자주 일어남; 빈도; 주파수

The train runs at a frequency of 5 minutes.

기차는 5분 ▨▨▨▨▨ 로 운행된다.

➕ frequent 형 빈번한, 흔한
  frequently 부 자주, 흔히

broadcasting frequency
방송 주파수

---

863 comet
[kámit]

명 혜성

He discovered a comet by chance.

그는 우연히 ▨▨▨▨▨ 을 발견했다.

---

864 rotten
[rátn]

형 썩은 (= bad, spoiled); 타락한

One rotten apple spoils the bunch.

▨▨▨▨▨ 사과 한 개가 사과 자루 전체를 못 쓰게 만든다.

➕ rot 동 썩다, 부패하다
↔ fresh 형 신선한

865	**alright** [ɔːlráit]	혤 괜찮은 (= all right) Is it alright if I pay by check? 수표로 지불해도 　　?

866	**glow** [glou] evening glow 저녁놀	통 빛나다, 빛을 내다 (= gleam) 명 백열; 흥분 The bug is glowing! 벌레가 　　! ➕ glowing 혤 열렬한; 작열하는

강세주의

867	**emit** [imít] emit–emitted–emitted	통 발산하다, 내뿜다 (= give out) Microwave ovens emit electromagnetic waves. 전자레인지는 전자파를 　　. ➕ emission 명 방출, 방사

868	**as soon as**	~하자마자 I'll take a shower as soon as I get home. 난 집에 도착 　　 샤워를 할 거야.

869	**by hand**	손으로; 자필의 I washed the pure wool sweater by hand. 나는 순모 스웨터를 　　 빨았다.

870	**so far**	지금까지는 I'm satisfied with my work so far. 　　 내가 하는 일에 만족한다.

Get More · self를 사용한 표현

self-respect 자존심 　　 self-esteem 자존심 　　 self-image 자아상
self-confidence 자신감 　　 self-contempt 자조; 겸손 　　 self-control 자제심
self-defence 자기방어 　　 self-discipline 자기훈련 　　 self-discovery 자아발견
self-awareness 자기인식 　 self-consciousness 자의식

✎ ANSWERS p. 291

Ⓐ 영어는 우리말로, 우리말은 영어로 쓰시오.

1	feat	_____	
2	faucet	_____	
3	as soon as	_____	
4	frequency	_____	
5	emit	_____	

6	혜성	_____
7	우주선	_____
8	손으로, 자필의	_____
9	빛나다, 빛을 내다, 백열	_____
10	재판, 시도, 노력	_____

Ⓑ 빈칸에 알맞은 단어를 [보기]에서 골라 쓰시오. (필요시 형태를 고칠 것)

보기	witty	by hand	rotten	so far	self-respect

11 Keep your _____.
자존심을 지켜라.

12 His books are famous for their _____ jokes.
그의 책은 재치 있는 농담들로 유명하다.

13 Soon ripe, soon _____.
빨리 익은 것이 빨리 썩는다.

14 He mowed the lawn _____ because he didn't have a mower.
그는 잔디 깎는 기계를 가지고 있지 않았기 때문에 손으로 잔디를 뽑았다.

15 It's going well _____.
아직까지는 순조롭다.

Ⓒ 설명하는 단어를 [보기]에서 골라 쓰시오.

보기	feat	spacecraft	trial	frequency	comet

16 the act of trying _____

17 the number of times something is repeated _____

18 a vehicle that is able to travel in space _____

19 an object in space like a bright ball with a long tail _____

20 an act that shows skill, strength or bravery _____

Day
58

With your eyes closed, 이 물 냄새를 맡아 볼래?

음... scent가 아주 좋은걸~

라벤더를 pound해서 물에 섞었어.

바로 이 향기야!

◀» MP3 파일을 들으면서 단어를 따라 읽어보세요.

---

871 contestant

[kəntéstənt]

명 경쟁자 (= competitor); 대회 참가자

She was one of 15 **contestants** competing on the show.

그녀는 쇼에서 경쟁하는 15명의 [____] 중의 하나였다.

➕ contest ⑧ 논쟁하다 ⑲ 경쟁

↔ companion ⑲ 동반자; 친구
   cooperator ⑲ 협력자

---

872 scent

[sent]

bottle of scent
향수 한 병

명 냄새 (= smell); 향기 (= aroma)

She has the **scent** of a rose.

그녀는 장미 [____] 가 난다.

➕ scented ⑱ 향수를 뿌린
   scentless ⑱ 냄새가 없는

---

873 fuel-efficient

[fjúːəlifiʃənt]

⑱ 연료 효율이 좋은, 연비가 좋은

This car is old but **fuel-efficient**.

이 차는 오래 되었지만 [____].

➕ fuel-efficiency ⑲ 연비가 높음

---

874 mechanic
[məkǽnik]

명 수리기사, 정비사

He is a trusted auto mechanic.
그는 믿을 만한 자동차 [   ]이다.

➕ mechanical 형 기계로 작동되는, 기계의

강세주의

875 insert
동 [insə́:rt]
형 [ínsə:rt]

동 삽입하다, 넣다
명 삽입물

Insert the card and input your PIN number.
카드를 [   ] 비밀번호를 입력하시오.

➕ insertion 명 삽입
inserted 형 끼워 넣은
↔ withdraw 동 빼내다

876 discovery
[diskʌ́vəri]

명 발견

It was a major medical discovery.
그것은 중대한 의학적 [   ]이었다.

➕ discover 동 발견하다

877 humorous
[hjú:mərəs]

형 유머가 있는, 재치 있는 (= witty)

My cousin is humorous and energetic.
내 사촌은 [   ] 있고 활기차다.

➕ humor 명 유머, 해학
↔ serious 형 진지한

878 pound
[paund]

동 두드리다; 빻다
명 (영국화폐) 파운드; 울타리

He pounded the door at night.
그는 한밤중에 문을 [   ].

➕ pounding 형 두근거리는

879 next-best
[nékstbést]

형 차선의, 제2의, 다음으로 최고인 (= second best)

Let's find the next-best way to solve it.
그것을 해결할 [   ] 방법을 찾아보자.

Day
59

880 **static**
[stǽtik]

형 거의 변화하지 않는; 정적인; 정전기의
명 정전기

The sale price of the item remains static.
그 상품의 판매 가격은 ▓▓▓▓▓.

↔ dynamic 형 역동적인

static electricity
정전기

881 **dropout**
[drάpàut]

명 탈락자; 탈락; 중퇴자

He is an elementary school dropout.
그는 초등학교 ▓▓▓▓ 이다.

➕ drop out 떠나다; 중퇴하다

강세주의

882 **preview**
[prí:vjù:]

명 시사회, 예고편, 미리 보기
동 시연을 보다

They got a preview of the film.
그들은 그 영화의 ▓▓▓▓▓ 를 가졌다.

➕ review 형 논평; 복습 동 다시 보다; 복습하다

---

883 **out of breath**

숨이 찬, 숨이 가쁜

Why are you out of breath?
너 왜 ▓▓▓▓ 있니?

---

884 **from now on**

지금부터

You will be watching a show from now on.
▓▓▓▓ 쇼를 보시겠습니다.

---

885 **with one's eyes closed**

눈을 감은 채

She was listening to music with her eyes closed.
그녀는 ▓▓▓▓ 음악을 듣고 있었다.

 Get More   '냄새'를 나타내는 어휘

smell (중립적인) 냄새   scent 냄새, 향   aroma 향기, 냄새
perfume (향수 등의) 향기   fragrance (꽃 등의) 향기   odor 짙은 냄새, 악취
stink 악취, 고약한 냄새   reek 악취

🖉 ANSWERS p. 291

A 영어는 우리말로, 우리말은 영어로 쓰시오.

1 fuel-efficient _____ 6 눈을 감은 채 _____

2 scent _____ 7 수리기사, 정비사 _____

3 static _____ 8 차선의, 제2의 _____

4 preview _____ 9 유머가 있는, 재치 있는 _____

5 from now on _____ 10 삽입하다, 삽입물 _____

B 빈칸에 알맞은 단어를 [보기]에서 골라 쓰시오. (필요시 형태를 고칠 것)

| 보기 | discovery | out of breath | dropout | pound | contestant |

11 My heart was _____ with delight.
내 심장은 기쁨으로 두근거리고 있었다.

12 She is a college _____.
그녀는 대학 중퇴자이다.

13 I was _____ after running.
달리기를 하고 나서 나는 숨이 찼다.

14 He made an important _____ in biology.
그는 생물학에서 중요한 발견을 했다.

15 _____ in a TV reality show will be on the stage.
TV 리얼리티 쇼의 경쟁자들이 무대로 나올 것이다.

C 빈칸에 알맞은 단어를 괄호 안에서 골라 쓰시오.

16 A person who can fix cars and things is a _____.
(mechanic / scent)

17 When something new is found, it is a new _____.
(static / discovery)

18 I want to buy a _____ car to protect the environment.
(next-best / fuel-efficient)

19 Only one of the _____ on the quiz show knew the answer.
(contestants / dropouts)

20 He is a famous comedian. Did you ever watch his _____ act?
(mysterious / humorous)

걱정하지 말아요.

많은 crow 무리가 마을에 나타났어요!

MP3 파일을 들으면서 단어를 따라 읽어보세요.

그럼 crow들은 사라질 거예요.

Crow떼가 나타나면 hesitate하지 말고 나에게 연락해요.

---

886 **speechless**

[spíːtʃlis]

형 할 말을 잃은; 말을 못하는 (= dumb)

I was speechless after the fantastic show.
환상적인 쇼 이후 나는 ▒▒▒▒▒.

➕ speech 명 말; 연설

---

887 **crow**

[krou]

명 까마귀; 수탉의 울음소리

A crow means good luck in Japan.
일본에서는 ▒▒▒▒ 가 행운을 의미한다.

---

888 **consult**

[kənsʌ́lt]

동 상담하다, 의견을 묻다; 참고하다

I consulted with a doctor on the matter.
나는 그 일에 대해 의사와 ▒▒▒▒▒▒.

➕ consultant 명 상담자, 컨설턴트
consulting 형 자문의 명 조언

---

889 budget
[bʌ́dʒit]

명 예산; 운영비, 생활비

The budget is so tight this month.
이번 달 ▨▨▨▨ 이 상당히 빠듯하다.

➕ budgetary 형 예산의

---

890 relay
[ríːlei]

명 교대 (= shift); 교체자
동 교대시키다; 중계하다

He participated in the relay race.
그는 ▨▨▨▨ 경주에 참가했다.

---

891 hesitate
[hézətèit]

동 주저하다, 망설이다

Don't hesitate to call the police.
▨▨▨▨ 말고 경찰을 불러라.

➕ hesitation 명 망설임; 우유부단
hesitant 형 주저하는

---

892 chime
[tʃaim]

동 (종을) 울리다; (종을 울려 시각을) 알리다
명 종; 종소리

The clock in the plaza chimed seven.
광장에 있는 시계가 7시를 ▨▨▨▨ .

wind chime
풍경

---

893 liver
[lívər]

명 간

He's suffering from liver cancer.
그는 ▨▨▨▨ 암으로 고통받고 있다.

---

894 ax
[æks]

명 도끼
동 도끼로 자르다

He was swinging the ax.
그는 ▨▨▨▨ 를 앞뒤로 흔들고 있었다.

895	**garlic**	몡 마늘

garlic
[gáːrlik]

Season it with garlic.
░░░░░ 을 넣어 양념하세요.

---

896 **nanoscientist**
[nǽnəsáiəntist]

몡 나노 과학자

Nanoscientists study nanotechnology.
░░░░░ 은 나노 기술을 연구한다.

➕ nanoscience 몡 나노 과학

---

897 **meteorology**
[mìːtiərálədʒi]

Meteorology Office
기상청

몡 기상학

Meteorology is the study about weather conditions.
░░░░░ 은 기상 상태에 대한 연구이다.

➕ meteorologist 몡 기상학자
meteorologic 혱 기상의

---

898 **out of the question**

불가능한 (= impossible)

The invention of a time machine is out of the question.
타임머신의 발명은 ░░░░░.

---

899 **not ~ at all**

전혀 ~않다, 결코 ~않다

She's not kind to her children at all.
그녀는 자기 아이들에게 ░░░░░ 따뜻하게 대하지 않는다.

---

900 **side by side**

나란히

They are standing side by side.
그들은 ░░░░░ 서 있다.

 Get More   같은 명사를 반복해서 쓰는 표현

side by side 나란히
step by step 한 걸음씩, 착실히
hand in hand 서로 손을 잡고

face to face 얼굴을 마주 보고
little by little 조금씩, 천천히
heart to heart 털어 놓고, 숨김 없이

✎ ANSWERS p. 291

A 영어는 우리말로, 우리말은 영어로 쓰시오.

1	liver	_____
2	nanoscientist	_____
3	crow	_____
4	meteorology	_____
5	side by side	_____

6	도끼, 도끼로 자르다	_____
7	(종을) 울리다, 종소리	_____
8	불가능한	_____
9	주저하다, 망설이다	_____
10	결코 ~않다	_____

B 빈칸에 알맞은 단어를 [보기]에서 골라 쓰시오. (필요시 형태를 고칠 것)

보기	budget	relay	garlic	speechless	consult

11 He became _____ with anger.

그는 너무 화가 나서 할 말을 잃었다.

12 This price fits my _____.

가격이 제 예산에 꼭 맞군요.

13 He participated in the 800-meter _____.

그는 800미터 릴레이 경기에 참가했다.

14 If the pain continues, _____ a doctor without delay.

만약 통증이 지속되면, 의사와 바로 상담하시오.

15 Sprinkle _____ powder on the soup.

수프에 마늘가루를 뿌려라.

C 관계있는 것끼리 선으로 연결하시오.

16 budget •   • ⓐ to pause saying or doing something because you are not sure

17 garlic •   • ⓑ to show the time by making a ringing sound

18 hesitate •   • ⓒ not able to speak because you are extremely surprised

19 speechless •   • ⓓ the money that is available to a plan of how it will be spent over a period of time

20 chime •   • ⓔ a vegetable of the onion family with a very strong taste

✎ ANSWERS p. 291

다음 우리말에 맞게 빈칸에 주어진 철자로 시작하는 단어를 쓰시오.

DAY 56

1	내부 감사	an internal a_____
2	성공의 요소들	i_____s of success
3	공공 요금	public u_____ rate
4	평행 주차	p_____ parking
5	유치원 교사	a k_____ teacher
6	시적 은유	poetic m_____

DAY 57

7	잘못된 정보	i_____ information
8	솜사탕	candy f_____
9	내각제	the c_____ system
10	값비싼 보석들	p_____ jewels
11	수상한 남자	a m_____ man
12	흙탕물	m_____ water

DAY 58

13	군사 재판	a military t_____
14	수도꼭지를 틀다	turn on the f_____
15	재치 있는 농담들	w_____ jokes
16	유인 우주선	a manned s_____
17	사고의 빈도	f_____ of accidents
18	썩은 계란들	r_____ eggs

DAY 59

19	미인대회 참가자들	c_____s in a beauty pageant
20	연료 효율이 좋은 자동차	f_____ vehicles
21	과학적 발견	a scientific d_____
22	재치있는 말	h_____ remarks
23	시사회 표	a p_____ ticket
24	고정적인 인구 수준	a s_____ population level

DAY 60

25	릴레이 경주 팀	a r_____ team
26	예산 삭감	b_____ cuts
27	변호사와 상담하다	c_____ a lawyer
28	간 손상	l_____ damage
29	할 말을 잃은 관객들	s_____ audiences
30	손도끼	a hand a_____

Zoom In

구 형용사 (phrasal adjective)

hand-me-down clothes
물려받은 옷

a **next-best** way
차선책

a **run-down** cottage
낡은 오두막

ready-made clothes
기성복

plug-in products
플러그 접속식 제품

a **good-looking** boy
잘 생긴 소년

a **well-known** film festival
유명한 영화제

fast-growing industries
빠르게 성장하는 산업

a **5-year-old** girl
5살 먹은 여자 아이

old-fashioned methods
구식 방법

a **one-way** ticket
편도 승차권

out-of-date information
(더 이상) 쓸모없는 정보

high-speed film
고감도 필름

up-to-date news
최신 뉴스

inner-city slums
도심 빈민가

tried-and-true methods
검증된 방법

a **fair-weather** friend
좋을 때만 친구인 사람

a **first-hand** investigation
직접 조사

a **worn-out** poster
낡은 포스터

second-hand smoke
간접 흡연

self-published books
자비로 출판한 책

a **self-taught** scholar
독학한 학자

high-end devices
최첨단 장비

a **hand-made** coat
수제 외투

ANSWERS

ANSWERS

DAY 01   Wrap-up Test p. 11

Ⓐ 1 피하다, 방지하다   2 근원, 출처, 인용문의 출처를 명시하다   3 줄이다, 낮추다   4 ~ 하느라 바쁘다   5 차이, 다름   6 run after   7 make eye contact with   8 electronic   9 weekend   10 include

Ⓑ 11 disabled   12 responsible   13 performance   14 disagree   15 succeed

Ⓒ 16 weekend   17 avoid   18 include   19 source   20 succeed

DAY 02   Wrap-up Test p. 15

Ⓐ 1 결합시키다   2 ~ 또한   3 항아리, 냄비   4 혼동하다, 혼란시키다   5 게다가, 더구나   6 anyone   7 type   8 annoy   9 phrase   10 at most

Ⓑ 11 apply   12 advertise   13 educate   14 bore   15 recycle

Ⓒ 16 ⓒ   17 ⓓ   18 ⓔ   19 ⓑ   20 ⓐ

DAY 03   Wrap-up Test p. 19

Ⓐ 1 (~의) 소유물이다, 소속하다   2 서핑하다   3 성공한, 출세한   4 당장, 지금   5 재료, 물질   6 cell   7 belief   8 all the way   9 the icing on the cake   10 especial

Ⓑ 11 physical   12 improve   13 link   14 amazed   15 Remove

Ⓒ 16 link   17 remove   18 amaze   19 improve   20 especial

DAY 04   Wrap-up Test p. 23

Ⓐ 1 실험, 실험하다   2 개발하다, 성장시키다, (필름을) 현상하다   3 마음을 끌다, 끌어당기다   4 접촉, 교제, 연락하다, 접촉하다   5 갑자기   6 inform   7 alarm   8 along with   9 once in a while   10 useless

Ⓑ 11 proper   12 deliver   13 decision   14 complain   15 concern

Ⓒ 16 contact   17 attract   18 complain   19 inform   20 develop

DAY 05 Wrap-up Test

Ⓐ 1 (짐을) 싣다, 짐 2 어떤 의미로는 3 지시하다, 가르치다 4 자신감 있는, 확신하는 5 이때까지는
6 ease 7 scary 8 head for 9 melt 10 interest

Ⓑ 11 emergency 12 represent 13 operate 14 supply 15 astronaut

Ⓒ 16 scary 17 astronaut 18 confident 19 melt 20 emergency

DAY 01~05 Review Test
p. 28

1 electronic 2 weekend 3 source 4 disagree 5 responsible
6 difference 7 phrase 8 educate 9 pot 10 type 11 combine 12 apply
13 physical 14 material 15 cell 16 link 17 belief 18 improve
19 develop 20 proper 21 deliver 22 decision 23 alarm 24 experiment
25 scary 26 supply 27 confident 28 emergency 29 interest 30 ease

DAY 06 Wrap-up Test
p. 33

Ⓐ 1 반사하다, 비추다 2 선택하다, 선정하다 3 적절한, 올바른 4 통로, (글의) 구절 5 ~을 따라가다
6 in effect 7 empire 8 walk across 9 trade 10 atmosphere

Ⓑ 11 method 12 identity 13 crime 14 rid 15 article

Ⓒ 16 crime 17 atmosphere 18 empire 19 trade 20 article

DAY 07 Wrap-up Test
p. 37

Ⓐ 1 붙이다, 첨부하다 2 수준, 표준, 수평, 높이, 평평하게 하다 3 손실 4 여유가 있다 5 우연히 만나다 6 maintain 7 wooden 8 excite 9 go back 10 have a hard time -ing

Ⓑ 11 approach 12 professor 13 comfort 14 react 15 approve

Ⓒ 16 loss 17 react 18 comfort 19 excite 20 attach

DAY 08 **Wrap-up Test** p. 41

Ⓐ 1 투쟁하다, 전력을 다하다, 투쟁, 싸움 2 에세이, 글 3 불안, 열망 4 수출, 수출하다 5 ~에게 되돌려 보내다 6 lot 7 pay off 8 tax 9 headache 10 result in

Ⓑ 11 refund 12 sidewalk 13 delight 14 adopt 15 exports

Ⓒ 16 essay 17 anxiety 18 refund 19 export 20 adopt

DAY 09 **Wrap-up Test** p. 45

Ⓐ 1 ~을 부르러 보내다 2 기적 3 싫어함, 싫어하다 4 끈적거리는, 후텁지근한 5 (생각이) 떠오르다, ~을 따라잡다 6 chip 7 decorate 8 solar 9 lone 10 leave for

Ⓑ 11 departure 12 hunger 13 flexible 14 anytime 15 suitable

Ⓒ 16 ⓓ 17 ⓒ 18 ⓔ 19 ⓐ 20 ⓑ

DAY 10 **Wrap-up Test** p. 49

Ⓐ 1 잡종, 혼합체 2 위쪽 3 일을 하다, 넣다 4 역동적인, 동력의 5 ~하느라 시간을 보내다 6 crew 7 shed 8 lid 9 lyric 10 counsel

Ⓑ 11 noisy 12 respond 13 show off 14 maintenance 15 genius

Ⓒ 16 noisy 17 crew 18 lid 19 counsel 20 hybrid

DAY 06~10 **Review Test** p. 50

1 identity 2 article 3 appropriate 4 crime 5 method 6 trade
7 wooden 8 attach 9 approach 10 approve 11 maintain 12 react
13 tax 14 anxiety 15 delivery 16 struggle 17 export 18 headache
19 miracle 20 flexible 21 suitable 22 hunger 23 lone 24 decorate
25 maintenance 26 genius 27 noisy 28 counsel 29 upside 30 hybrid

Ⓐ 1 어린 시절 2 부유한 3 팔찌 4 기금, 자금, 자금을 대다 5 효력을 나타내다 6 sauce 7 forecast 8 allowance 9 entrance 10 get along with

Ⓑ 11 insurance 12 fingerprints 13 describe 14 stands for 15 scarce

Ⓒ 16 forecast 17 childhood 18 sauce 19 allowance 20 wealthy

Ⓐ 1 소 2 부족, 결핍 3 복통 4 ~에 중독되다 5 마음을 터놓다 6 principle 7 rectangle 8 top ~ with ⋯ 9 pile 10 storage

Ⓑ 11 detect 12 percussion 13 involve 14 assemble 15 autograph

Ⓒ 16 ⓔ 17 ⓑ 18 ⓐ 19 ⓒ 20 ⓓ

Ⓐ 1 정기 왕복 버스, 오가다 2 정의하다 3 잠들다 4 혼합물, 혼합 5 체포되다 6 gradual 7 entry 8 soul 9 be surprised at 10 awesome

Ⓑ 11 gradual 12 chase 13 sincere 14 publish 15 extreme

Ⓒ 16 extreme 17 gradual 18 chase 19 awesome 20 soul

Ⓐ 1 지름길 2 폐 3 서두르다 4 산소 5 가능성, 잠재력, 가능성이 있는, 잠재력이 있는 6 reuse 7 satellite 8 drop by 9 tow 10 make great progress

Ⓑ 11 sensitive 12 separate 13 cultivate 14 purchase 15 detective

Ⓒ 16 shortcut 17 cultivate 18 potential 19 sensitive 20 detective

DAY 15 **Wrap-up Test** p. 71

(A) 1 단락, 짧은 기사 2 새롭게 하다, 생기를 되찾게 하다 3 양동이 4 온기, 따뜻함 5 넘어뜨리다, (차가) ~을 치다 6 sigh 7 log 8 forth 9 wait in hope 10 smile from ear to ear

(B) 11 anniversary 12 distract 13 nutrition 14 usual 15 essential

(C) 16 refresh 17 sigh 18 usual 19 warmth 20 log

DAY 11~15 **Review Test** p. 72

1 forecast 2 entrance 3 insurance 4 sauce 5 childhood 6 allowance
7 storage 8 shortage 9 cattle 10 percussion 11 autograph
12 assemble 13 eco-friendly 14 extreme 15 awesome 16 mixture
17 shuttle 18 gradual 19 purchase 20 potential 21 lung 22 oxygen
23 sensitive 24 cultivate 25 nutrition 26 paragraph 27 log 28 sigh
29 essential 30 anniversary

DAY 16 **Wrap-up Test** p. 77

(A) 1 시골의, 전원의 2 끌어 올리다 3 밀어 올리다, 후원하다, 밀어 올림, 후원 4 경쟁자, 적수 5 울음을 터뜨리다 6 frighten 7 possession 8 moreover 9 recover 10 think on one's feet

(B) 11 endless 12 details 13 slammed 14 fossils 15 exhausted

(C) 16 frighten 17 boost 18 rural 19 possession 20 rival

DAY 17 **Wrap-up Test** p. 81

(A) 1 결말, 결론, 결정 2 통역하다, 해석하다, 이해하다 3 주장하다, 우기다, 강요하다 4 줄을 서다 5 서로 묶다 6 passion 7 tidy 8 drain 9 addict 10 go with

(B) 11 ripe 12 tidy 13 citizen 14 worms 15 passion

(C) 16 insist 17 interpret 18 drain 19 addict 20 conclusion

278 ANSWERS

DAY 18 **Wrap-up Test** p. 85

Ⓐ **1** 바꾸다, 개조하다　**2** 위험　**3** 사건, 흔히 있는, 일어나기 쉬운　**4** 똑바로 앉다　**5** 화장, 꾸밈
6 leftover　**7** no longer　**8** variety　**9** trap　**10** keep track of

Ⓑ **11** detergent　**12** choir　**13** expert　**14** fur　**15** crisis

Ⓒ **16** ⓒ　**17** ⓔ　**18** ⓐ　**19** ⓓ　**20** ⓑ

DAY 19 **Wrap-up Test** p. 89

Ⓐ **1** 종교상의, 종교적인　**2** 상상, 환상　**3** 고용인, 하인　**4** ~할 여유가 없다　**5** 지성, 이해력, 지식인
6 debt　**7** copyright　**8** progress　**9** eat up　**10** come one's way

Ⓑ **11** survey　**12** orbit　**13** profit　**14** laboratory　**15** Copyright

Ⓒ **16** fantasy　**17** debt　**18** intellect　**19** servant　**20** copyright

DAY 20 **Wrap-up Test** p. 93

Ⓐ **1** 조약돌, 자갈　**2** 화학, 화학 작용, 공감대　**3** 논평, 해설, 비평하다, 해설하다　**4** (눈이) 튀어 나오다
5 방해하다, 혼란시키다　**6** spicy　**7** efficient　**8** think ahead　**9** concept　**10** bring
~ into …

Ⓑ **11** digest　**12** Salty　**13** admit　**14** delayed　**15** overflow

Ⓒ **16** comments　**17** disturb　**18** spicy　**19** pebbles　**20** efficient

DAY 16~20 **Review Test** p. 94

1 fossil　**2** recover　**3** detail　**4** possession　**5** endless　**6** boost
7 conclusion　**8** stationary　**9** insist　**10** passion　**11** drain　**12** tidy
13 variety　**14** crisis　**15** fur　**16** trap　**17** expert　**18** detergent　**19** orbit
20 progress　**21** profit　**22** windy　**23** laboratory　**24** debt　**25** delay
26 efficient　**27** admit　**28** digest　**29** comment　**30** disturb

DAY 21 **Wrap-up Test**

p. 99

Ⓐ 1 ~할 수 있게 하다　2 치우다　3 경쟁의, 경쟁적인　4 설비, 시설, 편의　5 총계가 ~에 이르다
6 intelligence　7 liquid　8 pinch　9 fasten　10 eat away

Ⓑ 11 shaky　12 obtain　13 sustainable　14 competitive　15 expense

Ⓒ 16 intelligence　17 fasten　18 expose　19 facility　20 enable

DAY 22 **Wrap-up Test**

p. 103

Ⓐ 1 논증하다, 설명하다, 시위하다　2 제자리에 다시 놓다　3 섬세한, 우아한, 정교한　4 세탁할 수 있는
5 온갖 노력을 다 기울이다　6 union　7 be worth -ing　8 collapse　9 mince
10 despite

Ⓑ 11 reserve　12 comprehensive　13 eventual　14 Poetry　15 yielded

Ⓒ 16 ⓒ　17 ⓐ　18 ⓔ　19 ⓑ　20 ⓓ

DAY 23 **Wrap-up Test**

p. 107

Ⓐ 1 ~으로 알려지다　2 관점, 원근법, 조망, 원근법에 의한　3 강조하다, 역설하다　4 절대적인, 확고한, 완전한　5 ~에 달려 있다　6 fortune　7 unfamiliarity　8 evident　9 charity
10 bring ~ back to …

Ⓑ 11 ranks　12 aggressive　13 Absolute　14 entire　15 Pursuing

Ⓒ 16 perspective　17 fortune　18 absolute　19 emphasize　20 charity

DAY 24 **Wrap-up Test**

p. 111

Ⓐ 1 잠시의, 간단한　2 줄, (악기의) 현, 현악기, 실에 꿰다　3 ~에 빠지다, 열중하다　4 찾다, 추구하다, 노력하다　5 상상력이 풍부한, 창의적인　6 fall off　7 purify　8 step into　9 bunch
10 convince

Ⓑ 11 inaccurate　12 Distinguishing　13 compost　14 remarkable　15 authority

Ⓒ 16 brief　17 imaginative　18 convince　19 seek　20 string

Wrap-up Test

Ⓐ 1 알아차리고, ~을 알고 있는　2 안전한, 안정된, 튼튼한, 안전하게 하다　3 ~을 찾다　4 기본적인, 기초의, 중요한, 기본, 근본　5 사라지다　6 hook　7 gap　8 analyze　9 have ~ back 10 apologize

Ⓑ 11 elsewhere　12 imaginary　13 erosion　14 assume　15 decline

Ⓒ 16 apologize　17 secure　18 gap　19 fundamental　20 aware

Review Test

1 expense　2 sustainable　3 competitive　4 intelligence　5 expose
6 shaky　7 comprehensive　8 union　9 mince　10 washable　11 poetry
12 demonstrate　13 rank　14 emphasize　15 perspective　16 entire
17 fortune　18 evident　19 compost　20 string　21 inaccurate
22 authority　23 remarkable　24 bunch　25 gap　26 decline　27 imaginary
28 apologize　29 erosion　30 fundamental

Wrap-up Test

Ⓐ 1 10년　2 내부의, 내면적인, 국내의　3 토론　4 차로 치다　5 이야기하기 좋아하는, 수다스러운
6 take shape　7 remark　8 laundry　9 surgery　10 slow down

Ⓑ 11 cruel　12 typical　13 reveal　14 accurate　15 revolution

Ⓒ 16 ⓓ　17 ⓐ　18 ⓒ　19 ⓑ　20 ⓔ

Wrap-up Test

Ⓐ 1 희생자, 희생, 제물　2 독, 유독 물질, 독을 넣다, 독살하다　3 버릇없게 만들다, 망치다　4 ~으로부터 도망치다　5 ~하는 경향이 있다, ~으로 향하다　6 dull　7 put across　8 roast
9 organ　10 chapter

Ⓑ 11 Steel　12 roasted　13 impression　14 bans　15 informal

Ⓒ 16 organ　17 spoil　18 poison　19 dull　20 tends

DAY 28 **Wrap-up Test**
p. 129

Ⓐ 1 후에, 나중에   2 허가, 허락, 승인   3 ~을 …에 적응시키다   4 약속을 지키다   5 걸음걸이, 한 걸음, 속도   6 fond   7 fiery   8 crown   9 dynasty   10 guard A against B

Ⓑ 11 assistance   12 tedious   13 permission   14 recovery   15 humps

Ⓒ 16 wound   17 pace   18 fond   19 afterward   20 crown

DAY 29 **Wrap-up Test**
p. 133

Ⓐ 1 비, 비율   2 ~할 준비를 하다   3 미라   4 ~을 완전히 지치게 하다   5 유명인, 연예인, 명성   6 acknowledge   7 barber   8 stop ~ from -ing   9 strip   10 aside

Ⓑ 11 damp   12 encounter   13 finance   14 average   15 continuous

Ⓒ 16 celebrity   17 barber   18 strip   19 acknowledge   20 aside

DAY 30 **Wrap-up Test**
p. 137

Ⓐ 1 가죽, 가죽 제품, 무두질하다   2 그럼에도 불구하고   3 역할을 하다   4 예배, 숭배, 예배하다, 숭배하다   5 적극적으로 생각하다   6 thus   7 defeat   8 author   9 status   10 make an appointment with

Ⓑ 11 Mass   12 aquarist   13 arid   14 invest   15 factor

Ⓒ 16 status   17 defeat   18 leather   19 thus   20 author

DAY 26~30 **Review Test**
p. 138

1 revolution   2 reveal   3 accurate   4 surgery   5 cruel   6 discussion
7 poison   8 victim   9 informal   10 impression   11 spoil   12 chapter
13 dynasty   14 tedious   15 assistance   16 fiery   17 wound   18 recovery
19 finance   20 continuous   21 mummy   22 encounter   23 ratio
24 barber   25 author   26 defeat   27 leather   28 invest   29 worship
30 factor

DAY 31   Wrap-up Test

p. 143

Ⓐ **1** 차지하다, 종사하다, 거주하다   **2** ~할 수 있다   **3** 나이가 지긋한   **4** 평을 하다   **5** 행동, 수행하다, 지휘하다   **6** vertical   **7** think of A as B   **8** prior   **9** version   **10** ceramic

Ⓑ **11** platform   **12** Condiments   **13** construct   **14** stormy   **15** adult

Ⓒ **16** occupy   **17** conduct   **18** prior   **19** ceramic   **20** vertical

DAY 32   Wrap-up Test

p. 147

Ⓐ **1** 거주자, 주민, 거주하는   **2** 민주주의   **3** ~에 근거하다   **4** 다시 생각하다, 재고하다   **5** 농업, 농사   **6** generate   **7** disgust   **8** reflect on   **9** inward   **10** snob

Ⓑ **11** pimples   **12** hollow   **13** priority   **14** display   **15** adapt

Ⓒ **16** hollow   **17** generate   **18** inward   **19** democracy   **20** resident

DAY 33   Wrap-up Test

p. 151

Ⓐ **1** 악마   **2** 재산, 소유물   **3** 필기하다   **4** 매력이 넘치는   **5** (일, 물건 등을) 할당하다, 선정하다   **6** rely   **7** grab   **8** think over   **9** Antarctica   **10** open one's arms

Ⓑ **11** grabbed   **12** beholders   **13** waist   **14** ankle   **15** screw

Ⓒ **16** ⓔ   **17** ⓓ   **18** ⓒ   **19** ⓐ   **20** ⓑ

DAY 34   Wrap-up Test

p. 155

Ⓐ **1** 윤리, 도덕   **2** 독한 술   **3** 열대우림   **4** 비탄, 비통   **5** ~을 몹시 기대하다   **6** overjoy   **7** tragic   **8** currency   **9** take the initiative   **10** give ~ a shot

Ⓑ **11** categories   **12** organic   **13** breeze   **14** Seaweed   **15** compliments

Ⓒ **16** currency   **17** seaweed   **18** heartbreak   **19** compliment   **20** ethic

Wrap-up Test

p.159

Ⓐ 1 약 2 표절하다 3 저개발의, 후진국의 4 썰매 5 ~와 연락하다 6 brace 7 expressive
8 take ~ into account 9 arc 10 crash into

Ⓑ 11 bleeding 12 employed 13 spacewalk 14 bounce 15 primary

Ⓒ 16 ⓐ bleed ⓑ blood 17 ⓐ employ ⓑ employment 18 ⓐ expressive
ⓑ express 19 ⓐ physical ⓑ physic 20 ⓐ underdevelopment
ⓑ underdeveloped

Review Test

p.160

1 conduct 2 elderly 3 stormy 4 ceramic 5 vertical 6 version
7 resident 8 inward 9 adapt 10 hollow 11 pimple 12 democracy
13 waist 14 rely 15 glamorous 16 property 17 screw 18 grab 19 tragic
20 compliment 21 organic 22 currency 23 rainforest 24 breeze
25 spacewalk 26 arc 27 brace 28 sled 29 plagiarize 30 primary

Wrap-up Test

p.165

Ⓐ 1 불리한 점, 불편함 2 정치적인 3 눈썹 4 ~와 협력하다 5 함께 일하다 6 bind 7 pod
8 warm-hearted 9 play a joke on 10 deny

Ⓑ 11 eatable 12 likewise 13 fluids 14 infield 15 quantity

Ⓒ 16 eyebrow 17 bind 18 deny 19 political 20 disadvantage

Wrap-up Test

p.169

Ⓐ 1 이상한, 기묘한, 무시무시한 2 (시간, 노력을) 바치다, ~에 전념하다 3 이론 4 판매하다, 시판되
다 5 혁신을 일으키다, 혁명을 일으키다 6 deal with 7 lecture 8 orchard 9 thatch
10 turn away from

Ⓑ 11 capture 12 Disposable 13 summary 14 probing 15 vary

Ⓒ 16 weird 17 dedicate 18 theory 19 lecture 20 revolutionize

Wrap-up Test p. 173

A 1 탐욕 2 고마움, 감사 3 조각하다 4 (스포츠 경기의) 심판, 중재인 5 살충제 6 crevice
7 humid 8 die out 9 pay expenses for 10 cope with

B 11 necklace 12 Fatty 13 apology 14 absurd 15 innocence

C 16 carve 17 gratitude 18 referee 19 humid 20 greed

Wrap-up Test p. 177

A 1 세우다 2 붕대, 붕대를 감다 3 눈꺼풀 4 회상하다 5 취소하다 6 calorie-free
7 rap 8 artistic 9 must-see 10 scroll

B 11 abandoned 12 inconvenience 13 meditate 14 reusable 15 suspicious

C 16 meditate 17 inconvenience 18 abandon 19 artistic 20 suspicious

Wrap-up Test p. 181

A 1 정리, 정돈, 제거 2 수익성이 있는, 이익이 되는 3 (가늘게) 떨다, 진동하다 4 통로 5 ~은 당연
하다 6 staple 7 say to oneself 8 soak up 9 hatred 10 fume

B 11 forgetful 12 wrinkles 13 Reptiles 14 licking 15 accomplish

C 16 hatred 17 vibrate 18 clearance 19 profitable 20 aisle

Review Test p. 182

1 eatable 2 warm-hearted 3 political 4 infield 5 quantity 6 deny
7 summary 8 capture 9 disposable 10 lecture 11 theory 12 probe
13 absurd 14 necklace 15 humid 16 greed 17 pesticide 18 apology
19 must-see 20 suspicious 21 bandage 22 artistic 23 reusable
24 meditate 25 clearance 26 profitable 27 wrinkle 28 hatred 29 aisle
30 fume

DAY 41 **Wrap-up Test**
p. 187

Ⓐ **1** 운명 **2** 구체적인, 콘크리트로 만든 **3** 배웅하다 **4** 기절하다 **5** (시의) 운, 각운 **6** mound **7** riddle **8** get under way **9** pandemic **10** sit-up

Ⓑ **11** memorable **12** sculpture **13** architecture **14** immigrated **15** diverse

Ⓒ **16** diverse **17** architecture **18** mound **19** fate **20** pandemic

DAY 42 **Wrap-up Test**
p. 191

Ⓐ **1** 참다, 자제하다, 망설이다 **2** 차지하다, 설명하다 **3** 복잡하게 만들다 **4** 방수(防水) 깔개 **5** 역사학자 **6** fake **7** move into **8** commodity **9** tale **10** worthwhile

Ⓑ **11** violate **12** credible **13** stroke **14** fake **15** orphanage

Ⓒ **16** tale **17** fake **18** complicate **19** stroke **20** historian

DAY 43 **Wrap-up Test**
p. 195

Ⓐ **1** ~와 화해하다 **2** 용이하게 하다, 촉진하다 **3** 믿을 수 있는 **4** 한 번에, 동시에 **5** 식욕, 욕망 **6** bump **7** dip **8** make contact **9** vegetate **10** insure

Ⓑ **11** anecdotes **12** clues **13** recharge **14** Chop **15** snapped

Ⓒ **16** ⓑ **17** ⓒ **18** ⓓ **19** ⓐ **20** ⓔ

DAY 44 **Wrap-up Test**
p. 199

Ⓐ **1** 건강검진 **2** 실행하다 **3** 소화의, 소화력 있는 **4** (공공기관이 제시한) 가이드라인, 지침 **5** (은행, 상점 등의) 출납원 **6** deceive **7** make a tour of **8** diagonal **9** be dangerous for **10** thrill

Ⓑ **11** halfway **12** effective **13** crane **14** statue **15** decisive

Ⓒ **16** decisive **17** deceive **18** effectively **19** digest **20** cash

DAY 45 Wrap-up Test

p. 203

Ⓐ 1 비록 ~일지라도 2 원뿔, (소나무 등의) 방울 3 벌거벗은, 맨, (신체 일부를) 드러내다 4 ~해야 한다 5 왕좌, 옥좌 6 do harm to 7 forensic 8 literal 9 flare 10 freak

Ⓑ 11 scoop 12 summarize 13 squeeze 14 grazing 15 immune

Ⓒ 16 ⓐ immune ⓑ immunity 17 ⓐ barely ⓑ bare 18 ⓐ scoop ⓑ scoopful 19 ⓐ squeezer ⓑ squeeze 20 ⓐ summary ⓑ summarize

DAY 41~45 Review Test

p. 204

1 memorable 2 sculpture 3 riddle 4 concrete 5 diverse 6 fate 7 violate 8 credible 9 worthwhile 10 orphanage 11 fake 12 tale 13 recharge 14 reliable 15 insure 16 facilitate 17 appetite 18 dip 19 statue 20 checkup 21 decisive 22 diagonal 23 digestive 24 guideline 25 cone 26 throne 27 immune 28 bare 29 freak 30 squeeze

DAY 46 Wrap-up Test

p. 209

Ⓐ 1 복도, 현관 2 귀마개 3 서류 가방 4 미술품, 예술 작품 5 그 당시에는, 그 때에는 6 not only A but also B 7 anthem 8 tease 9 theme 10 side to side

Ⓑ 11 breathtaking 12 myths 13 synthesize 14 tease 15 waterproof

Ⓒ 16 earmuffs 17 hallway 18 briefcase 19 artwork 20 myth

DAY 47 Wrap-up Test

p. 213

Ⓐ 1 일반적으로 2 번개 3 ~ 아래에 4 타조 5 처음으로 6 peg 7 rug 8 chill 9 in this way 10 leak

Ⓑ 11 Spare 12 grooves 13 defense 14 stimulates 15 punctuate

Ⓒ 16 lightning 17 stimulate 18 underneath 19 chill 20 leak

A 1 반죽, 빵 반죽 덩어리 2 ~을 찾아 3 빙하 4 바이오 연료 5 포트럭 파티 6 outspeak
7 rack 8 suck 9 wag 10 on one's own

B 11 far away from 12 renewable 13 frequent 14 heal 15 therapy

C 16 ⓑ 17 ⓐ 18 ⓒ 19 ⓔ 20 ⓓ

A 1 곧, 즉시 2 상어 3 독성의, 유독한 4 천직, 소명, 직업 5 못 본 체하다, 빠뜨리고 못 보다, 내려
다보다, 전망이 좋은 곳 6 one ~ after another 7 peel 8 figurative 9 peck
10 all around

B 11 tropical 12 numeral 13 Sunburn 14 shrink 15 defensive

C 16 toxic 17 figurative 18 peel 19 vocation 20 overlook

A 1 횡단보도 2 꽃, 꽃을 피우다, 번영하다 3 떨어진 곳에 4 희망에 찬, 유망한 5 오이
6 circuit 7 thrive 8 inspire 9 blame 10 get in the way

B 11 boastful 12 no matter what 13 germs 14 cavity 15 waterfall

C 16 thrive 17 cavity 18 germ 19 crosswalk 20 cucumber

1 waterproof 2 artwork 3 myth 4 anthem 5 theme 6 hallway 7 rug
8 groove 9 lightning 10 leak 11 defense 12 underneath 13 dough
14 therapy 15 frequent 16 iceberg 17 renewable 18 rack
19 figurative 20 toxic 21 tropical 22 vocation 23 sunburn
24 defensive 25 germ 26 blame 27 circuit 28 blossom 29 hopeful
30 cavity

Ⓐ **1** 애국자 **2** 위엄, 존엄, 장엄함, 폐하 **3** 석유 **4** (야구) ~회 말에, ~의 바닥에 **5** 친환경 관광 **6** groom **7** necessity **8** on the other hand **9** flavorful **10** in place

Ⓑ **11** laurel **12** multicultural **13** rainstorm **14** refill **15** overeat

Ⓒ **16** groom **17** overeat **18** flavorful **19** Majesty **20** place

Ⓐ **1** ~에 앞서, ~의 앞에 **2** 조수의, 주기적인 **3** 수확이 많은, 성과가 좋은 **4** 기상 해설자 **5** 콩, 대두 **6** canal **7** vain **8** geothermal **9** but for **10** shabby

Ⓑ **11** vacuum **12** mighty **13** figure out **14** weaken **15** manual

Ⓒ **16** ⓓ **17** ⓔ **18** ⓒ **19** ⓐ **20** ⓑ

Ⓐ **1** 생물학 **2** 재발견하다 **3** 은하수, 성운, 집단 **4** 분수, 샘, 만년필의 잉크통, 분출시키다 **5** 탄소 **6** hum **7** sprain **8** in the case of **9** legal **10** at the beginning of

Ⓑ **11** fraction **12** transform **13** near at hand **14** differs **15** barren

Ⓒ **16** ⓔ **17** ⓒ **18** ⓓ **19** ⓐ **20** ⓑ

Ⓐ **1** 미신 **2** ~ 중에 **3** 명사 **4** 잘 알려진, 유명한, 친한 **5** ~로 가는 도중에 **6** grown-up **7** ordinal **8** shovel **9** nap **10** outgo

Ⓑ **11** at the table **12** supernatural **13** frown **14** willpower **15** horn

Ⓒ **16** well, known **17** outgo **18** grown, up **19** nap **20** noun, 명사

Wrap-up Test

p. 247

A 1 뿌리다, 끼얹다, 소량, 뿌리기 2 치아의, 치과의 3 정직하지 않은, 부정한 4 거지 5 학자
6 repairman 7 flea 8 walkway 9 pioneer 10 behind time

B 11 Piracy 12 the same as 13 Drunk 14 scar 15 such as

C 16 piracy 17 beggar 18 drunk 19 scar 20 pioneer

Review Test

p. 248

1 groom 2 multicultural 3 necessity 4 flavorful 5 ecotourism
6 petroleum 7 manual 8 tidal 9 vain 10 soybean 11 Canal 12 shabby
13 barren 14 sprain 15 fountain 16 legal 17 biology 18 carbon 19 noun
20 supernatural 21 ordinal 22 willpower 23 well-known 24 nap
25 dental 26 scar 27 dishonest 28 piracy 29 walkway 30 pioneer

---

Wrap-up Test

p. 253

A 1 의존하는 2 유치원 3 회계감사, 회계를 감사하다 4 중세의 5 평행선, 평행인, 나란한, ~에
평행하다, 부합하다 6 hand-me-down 7 shameless 8 metaphor 9 utility
10 a kind of

B 11 billions of 12 scattered 13 Brainpower 14 ingredients 15 Most of

C 16 ingredient 17 parallel 18 kindergarten 19 Billions 20 kind

---

Wrap-up Test

p. 257

A 1 베개 2 진행 중인 3 관리인, 돌보는 사람 4 과체중의, 너무 무거운 과체중, 초과 중량
5 신비한, 불가사의한 6 thumbs-up 7 floss 8 toss 9 muddy 10 of no effect

B 11 incorrect 12 The minute that 13 Wireless 14 tossed 15 precious

C 16 ⓓ 17 ⓐ 18 ⓑ 19 ⓒ 20 ⓔ

DAY 58   Wrap-up Test

A   1 위업, 업적   2 수도꼭지   3 ～하자마자   4 빈번함, 자주 일어남, 빈도, 주파수   5 발산하다, 내뿜다
6 comet   7 spacecraft   8 by hand   9 glow   10 trial

B   11 self-respect   12 witty   13 rotten   14 by hand   15 so far

C   16 trial   17 frequency   18 spacecraft   19 comet   20 feat

DAY 59   Wrap-up Test
p. 265

A   1 연료 효율이 좋은, 연비가 좋은   2 냄새, 향기   3 거의 변화하지 않는, 정적인, 정전기의, 정전기
4 시사회, 예고편, 미리 보기, 시연을 보다   5 지금부터   6 with one's eyes closed
7 mechanic   8 next-best   9 humorous   10 insert

B   11 pounding   12 dropout   13 out of breath   14 discovery   15 Contestants

C   16 mechanic   17 discovery   18 fuel-efficient   19 contestants   20 humorous

DAY 60   Wrap-up Test
p. 269

A   1 간   2 나노 과학자   3 까마귀, 수탉의 울음소리   4 기상학   5 나란히   6 ax   7 chime
8 out of the question   9 hesitate   10 not ~ at all

B   11 speechless   12 budget   13 relay   14 consulted   15 garlic

C   16 ⓓ   17 ⓔ   18 ⓐ   19 ⓒ   20 ⓑ

DAY 56~60   Review Test
p. 270

1 audit   2 ingredient   3 utility   4 parallel   5 kindergarten   6 metaphor
7 incorrect   8 floss   9 cabinet   10 precious   11 mysterious   12 muddy
13 trial   14 faucet   15 witty   16 spacecraft   17 frequency   18 rotten
19 contestant   20 fuel-efficient   21 discovery   22 humorous   23 preview
24 static   25 relay   26 budget   27 consult   28 liver   29 speechless   30 ax

INDEX

흥미로운 영어 책으로 독해 공부 제대로 하자!

READING
적중! 영어독해

110 ～ 130 words

대상: 초등 고학년, 중1

120 ～ 140 words

대상: 중1, 중2

130 ～ 150 words

대상: 중2, 중3

적중! 영어독해 특징

- 다양하고 재미있는 소재의 지문
- 다양한 어휘 테스트(사진, 뜻 찾기, 문장 완성하기, 영영풀이)
- 풍부한 독해 문제(다양한 유형, 영어 지시문, 서술형, 내신형)
- 전 지문 구문 분석 제공
- 꼭 필요한 학습 부가 자료(QR코드, MP3파일, WORKBOOK)

새 교과서에 맞춘 최신 개정판

적중!

중학영문법
3300제

문법 개념 정리	**내신 대비 문제**
출제 빈도가 높은 문법 내용을 표로 간결하게 정리	연습 문제＋영작 연습＋학교 시험 대비 문제＋워크북

---

1. **최신 개정 교과서 연계표** (중학 영어 교과서의 문법을 분석)
2. **서술형 대비 강화** (최신 출제 경향에 따라 서술형 문제 강화)
3. **문법 인덱스** (책에 수록된 문법 사항을 abc, 가나다 순서로 정리)